T'ASSIEDS PAS SUR LE COMPTE-GOUTTES

DU MÊME AUTEUR

Dans la même collection :

Laissez tomber la fille.
Les souris ont la peau tendre.
Mes hommages à la donzelle.
Du plomb dans les tripes.
Des dragées sans baptême.
Des clientes pour la morgue.
Descendez-le à la prochaine.
Passez-moi la Joconde.
Sérénade pour une souris défunte.
Rue des Macchabées.
Bas les pattes !
Deuil express.
J'ai bien l'honneur de vous buter.
C'est mort et ça ne sait pas !
Messieurs les hommes.
Du mouron à se faire.
Le fil à couper le beurre.
Fais gaffe à tes os.
A tue... et à toi.
Ça tourne au vinaigre.
Les doigts dans le nez.
Au suivant de ces messieurs.
Des gueules d'enterrement.
Les anges se font plumer.
La tombola des voyous.
J'ai peur des mouches.
Le secret de Polichinelle.
Du poulet au menu.
Tu vas trinquer, San-Antonio.
En long, en large et en travers.
La vérité en salade.
Prenez-en de la graine.
On t'enverra du monde.
San-Antonio met le paquet.
Entre la vie et la morgue.
Tout le plaisir est pour moi.
Du sirop pour les guêpes.
Du brut pour les brutes.
J'suis comme ça.
San-Antonio renvoie la balle.
Berceuse pour Bérurier.
Ne mangez pas la consigne.
La fin des haricots.
Y a bon, San-Antonio.
De « A » jusqu'à « Z ».
San-Antonio chez les Mac.
Fleur de nave vinaigrette.
Ménage tes méninges.
Le loup habillé en grand-mère.
San-Antonio chez les « gones ».
San-Antonio polka.
En peignant la girafe.
Le coup du père François.
Le gala des emplumés.
Votez Bérurier.
Bérurier au sérail.

La rate au court-bouillon.
Vas-y Béru!
Tango chinetoque.
Salut, mon pope!
Mange et tais-toi.
Faut être logique.
Y a de l'action!
Béru contre San-Antonio.
L'archipel des Malotrus.
Zéro pour la question.
Bravo, docteur Béru.
Viva Bertaga.
Un éléphant, ça trompe.
Faut-il vous l'envelopper?
En avant la moujik.
Ma langue au Chah.
Ça mange pas de pain.
N'en jetez plus!
Moi, vous me connaissez?
Emballage cadeau.
Appelez-moi chérie.
T'es beau, tu sais!
Ça ne s'invente pas.
J'ai essayé : on peut!
Un os dans la noce.
Les prédictions de Nostrabérus.
Mets ton doigt où j'ai mon doigt.
Si, signore.
Maman, les petits bateaux.
La vie privée de Walter Klozett.
Dis bonjour à la dame.
Certaines l'aiment chauve.
Concerto pour porte-jarretelles.
Sucette boulevard.
Remet ton slip, gondolier.
Chérie, passe-moi tes microbes!
Une banane dans l'oreille.
Hue, dada!
Vol au-dessus d'un lit de cocu.
Si ma tante en avait.
Fais-moi des choses.
Viens avec ton cierge.
Mon culte sur la commode.
Tire-m'en deux, c'est pour offrir.
À prendre ou à lécher.
Baise-ball à La Baule.
Meurs pas, on a du monde.
Tarte à la crème story.
On liquide et on s'en va.
Champagne pour tout le monde!
Réglez-lui son compte!
La pute enchantée.
Bouge ton pied que je voie la mer.
L'année de la moule.
Du bois dont on fait des pipes.
Va donc m'attendre chez Plumeau.
Morpions Circus.
Remouille-moi la compresse.
Si maman me voyait.
Des gonzesses comme s'il en pleuvait.
Les deux oreilles et la queue.
Pleins feux sur le tutu.
Laissez pousser les asperges.
Poison d'Avril, ou la vie sexuelle de Lili Pute.
Bacchanale chez la mère Tatzi.
Dégustez, gourmandes!
Plein les moustaches.
Après vous s'il en reste, Monsieur le Président.
Chauds, les lapins!
Alice au pays des merguez.
Fais pas dans le porno...
La fête des paires.
Le casse de l'oncle Tom.
Bons baisers où tu sais.
Le trouillomètre à zéro.
Circulez y'a rien à voir.
Galantine de volaille pour dames frivoles.
Les morues se dessalent.
Ça baigne dans le béton.
Baisse la pression, tu me les gonfles!

Renifle, c'est de la vraie.
Le cri du morpion.
Papa, achète-moi une pute.
Ma cavale au Canada.
Valsez pouffiasses.
Tarte aux poils sur commande.
Cocottes-minute.
Princesse Patte-en-l'air.
Au bal des rombières.
Buffalo Bide.
Bosphore et fais reluire.
Les cochons sont lâchés.
Le hareng perd ses plumes.
Têtes et sacs de nœuds.
Le silence des homards.
Y en avait dans les pâtes.
Al Capote.
Faites chauffer la colle.
La matrone des sleepinges.
Foiridon à Morbac City.
Allez donc faire ça plus loin.
Aux frais de la princesse.
Sauce tomate sur canapé.
Mesdames vous aimez « ça ».
Maman, la dame fait rien qu'à me faire des choses.
Les huîtres me font bailler.
Turlute gratos les jours fériés.
Les eunuques ne sont jamais chauves.
Le pétomane ne répond plus.

Hors série :

L'Histoire de France.
Le standinge.
Béru et ces dames.
Les vacances de Bérurier.
Béru-Béru.
La sexualité.
Les Con.
Les mots en épingle de Françoise Dard.
Si « Queue d'âne » m'était conté.
Les confessions de l'Ange noir.
Y a-t-il un Français dans la salle ?
Les clés du pouvoir sont dans la boîte à gants.
Les aventures galantes de Bérurier.
Faut-il tuer les petits garçons qui ont les mains sur les hanches
La vieille qui marchait dans l mer.
San-Antoniaiseries.
Le mari de Léon.
Les soupers du prince.
Dictionnaire San-Antonio.
Ces dames du Palais Rizzi.

Œuvres complètes :

Vingt-quatre tomes parus.

SAN-ANTONIO

T'ASSIEDS PAS SUR LE COMPTE-GOUTTES

ROMAN DE MŒURS FACILITANT LE TRANSIT INTESTINAL

FLEUVE NOIR

ISBN : 2-265-05773-8
ISSN : 0768-1658

Je bois pour oublier.
Pour oublier quoi ?
Que je bois.

*
* *

Faut en profiter quand c'est mouillé.

J.-P. RAYMOND (aquarelliste)

*
* *

On est comme on naît.

*
* *

On n'a rien à gagner à emmerder des gens qui n'ont rien à perdre.

Dans les milieux cinématographiques, il arrive qu'on commence un tournage de film sans en avoir déterminé le titre. Il y a alors des séminaires regroupant tous les protagonistes et chacun y va de sa suggestion.

Au cours de ces consultations, il se trouve immanquablement un rigolo pour proposer de baptiser l'œuvre en cours : « T'assieds pas sur le compte-gouttes ».

Ça ne fait rire personne, mais la tradition oblige. Ce titre tant de fois suggéré, mais jamais choisi, je le ramasse aujourd'hui pour le donner à l'histoire ci-jointe ; promotion inattendue d'une calembredaine qui, après avoir fait long feu, accède enfin à la consécration suprême.

S.-A.

CAPITULO UNO

Dans la fraîcheur du hall climatisé, le portier de l'hôtel *Soriano* lit *El Dia*, l'un des principaux quotidiens de Montevideo. Officiellement, il n'a pas le droit de le faire pendant son service ; seulement c'est l'heure creuse et torride du début d'après-midi, et les relâchements ne se remarquent pas. L'homme à l'uniforme galonné est intéressé par une photo publiée en page trois, surmontée de ce titre alléchant : « Dix mille dollars de récompense à qui permettra la capture de cet individu ».

Mentalement, il tente de convertir dix mille « verdâtres » en pesos, mais l'inflation galopante le fait vite renoncer à une telle gymnastique. Son attention se consacre alors au portrait : celui d'un mec blond, pris de face, d'une trentaine d'années. Visage aux traits harmonieux. L'on dirait un acteur de cinéma. Le genre de type qui joue des rôles de policier dans les films d'action. Il possède une profonde fossette au menton, façon Kirk Douglas ; son regard est plutôt dur, mais non sans charme. Le portier se dit que ce genre de *gringo* doit emballer à la seconde les femmes qui le tentent.

Le texte sous l'image est assez laconique et ne précise pas les motivations qui incitent la police à verser une telle somme pour sa capture. Toujours est-il que l'employé du *Soriano* aimerait bien savoir où se terre un gus de ce prix-là.

Or, le hasard est mutin : l'individu en question est précisément en train de savourer un verre de maté glacé au bar. Lui aussi a lu le papier de l'*El Dia*, mais il n'en est pas affecté le moins du monde car son aspect physique est très éloigné de la photo publiée.

CAPITULO DOS

Bérurier a bien failli ne pas être du voyage. Cet être bâti à chaux, à sable et à graisse, était exceptionnellement malade. Il souffrait d'une angine couenneuse qui s'inscrivait dans une certaine logique du personnage.

Quand j'arrivai chez lui pour mesurer l'ampleur de sa maladie, Berthe vint m'ouvrir avec sa main gauche en guise de slip. Elle voulut m'embrasser, mais comme son haleine sentait le foutre, j'eus une esquive savante qui détourna sa bouche gluante de la mienne. Je me dis que la vie est dangereuse et que nous ne devons jamais baisser notre garde, même lorsqu'on rend visite aux amis.

– Je crois que je dérange ? notai-je en montrant ses puissantes mamelles qui pendaient plus bas que son nombril.

– Assolument pas, me rassura l'ogresse lubrique. J' fesais l'amour avec le comte.

– J'ignorais que vous eussiez des amants dans la noblesse, avouai-je, admiratif.

– Il est point nob' ; y s'appelle Germain Lecomte et c'est not' charcutier de la rue Barrayé [1]. N'aujord'hui, c'est son jour d' fermeture.

– Il ne peut les employer plus intelligemment, convins-je.

Je suivis son énorme cul jusqu'en leur chambre à copuler. Le Mastard y agonisait en émettant des râles de cracheur de feu aux voies respiratoires saturées. Allongé sur le même lit, un homme également puissant s'entretenait la bandaison d'une main flatteuse. Il détenait un sexe relativement modeste, mais alimenté par des testicules de taureau.

– Grouillez-vous, madame Bérurier, supplia-t-il, je ne voudrais pas partir sans vous !

A son côté, l'époux n'avait cure de cet adultère perpétré à la bonne franquette, ce pour deux raisons valables : primo, il s'en foutait ; deuxio, il n'était pas en état de dépenser la moindre énergie en jalousie stérile.

J'eus un choc en découvrant sa face blême où s'inscrivait un réseau de veines violettes.

– Eh bien, ma grosse loche, ça ne va plus ?

1. Célèbre physicien toulousain qui inventa la poupée gonflable à menstrues récurrentes.

murmurai-je avec cette gaucherie qu'on a avec les cocus et les moribonds (lui, semblait répondre aux deux qualités).

Son regard fut celui d'une vache exténuée parce qu'elle vient de vêler. Ses lèvres mauves, craquelées par la fièvre, remuèrent, mais rien n'en sortit, sinon un souffle fétide qui évoquait la rupture d'une canalisation de chiottes.

– Je t'ai apporté une bonne bouteille, fis-je en déposant icelle sur sa table de chevet.

Il me remercia d'un court mouvement de la main.

Sur ces entrefaites, le charcutier connut une intense délivrance, plus bruyante que le trépas des porcs qu'il saignait.

A peine eut-il joui qu'il se mit à chantonner, ce qui ne laissa pas de me surprendre, dirait une femme de ménate portugaise qui travaille chez un oiseleur.

En homme qui ne se gêne pas, il se rendit à la salle de bains pour se briquer le cervelas. Comme il n'entretenait aucun complexe, il s'abstint de fermer la porte, ce qui nous permit de le voir licebroquer dans le lavabo et de l'entendre loufer en do majeur et à plusieurs reprises.

Berthe, qui l'avait accompagné, faisait du trot sur son bidet. Je songeai qu'un jour, cet élément sanitaire s'engloutirait dans son formidable cul, pour peu que ses pieds dérapassent sur les carreaux mouillés.

Blasé par tant de splendeurs insolites, je me consacris à mon malheureux compagnon d'armes.

– J'étais venu t'apporter ton billet d'avion pour Montevideo, Gros, car je pars demain matin. Mais vu ton état, je vais prendre quelqu'un d'autre avec moi.

Alors il s'opéra une modification dans tout son être. Son regard atone se fit lucide, sa pâleur violette rosit légèrement tandis que des mots guère audibles le quittaient avec douleur.

Je tendas l'oreille. Il disa :

– Laisse c' putain d' biliet dans l' tireroir d' ma tab', j'ai tout' la noye pou' guérerir !

***

Le lendemain, lorsque j'arrivai à l'aéroport, le sire de Béru s'y trouvait déjà. Assis sur sa valise exténuée, il dormait, la tête inclinée bas, son bitos enfoncé jusqu'aux cils. Ses ronflements n'alertaient personne puisqu'il était à proximité des pistes d'envol. Il avait mis un pantalon de coutil clair, des sandales à grille, une Lacoste de couleur épinards incueillis, et un veston à carreaux bleus et mauves acheté probablement lors de la vente par adjudication d'un petit cirque en faillite.

Je le contemplai un moment avec tendresse. Il faisait partie de mon univers depuis si longtemps que, QUELQUE PART, IL M'ÉTAIT DEVENU INDISPENSABLE.

Note qu'on croit cela, et puis la gueuse d'existence nous sépare « tout doucement, sans faire de bruit », et chacun continue de survivre, laissant des lambeaux de souvenirs après les ronces du passé. Et, que veux-tu que je te dise : on retrouve d'autres gens, d'autres lits, d'autres misères.

Je lui touchai l'épaule. Il sursauta. Me reconnut.

Son regard ressemblait à deux œufs sur le plat agrémentés d'un double filet de vinaigre sur les jaunes. Il n'avait pas eu le courage de se raser et il me fit songer à Raimu clochard dans *Monsieur la Souris*.

Il s'arracha au coma stagnant dans lequel il était immergé. Voulut me sourire, mais sa foutue angine couenneuse l'en empêcha.

– Il y a longtemps que tu m'attendais ?

Il hocha la tête, patouilla de la clape et finit par brandir une dextre aux cinq doigts écartés qu'il plia et rouvrit à trois reprises, ce que je traduisis par quinze minutes, soit un quart d'heure.

Je lui demandai son billet et allai m'occuper de notre enregistrement.

Son bagage, je l'ai dit – mais quand tu travailles pour des gaziers dont certains roulent sur la jante, faut pas craindre la rabâche –, son bagage, donc, consistait en une valise de carton, achetée quinze années auparavant en promotion dans un Uniprix de banlieue. Ses fermoirs avaient duré ce que dure un verre de beaujolais-villages sur le zinc d'un troquet. Le Mammouth les avait remplacés par des liens de botteleuse, en chanvre pur fruit, ramenés de la ferme ancestrale. Tel quel, son vade-mecum remportait un certain succès, et était à même de provoquer la convoitise d'un bagagiste désireux de composer une belle vitrine de Noël.

Je le tins par le bras pour gagner la salle d'embarquement car il titubait et, pour la première fois, cette démarche chancelante ne devait rien aux boissons fermentées.

Il provoqua un incident quand il eut une expectoration laborieuse qui se termina en début de dégueulis dont bénéficia une vieille Britannique hors d'usage. La toilette inconcevable de la lady (ou assimilée) se situant dans les teintes fraise écrasée, les suites furent aisément neutralisées ; au moment où les passagers embarquèrent, le calme s'était rétabli.

Sa Majesté dormit jusqu'au passage de l'équateur, lequel fut franchi sans encombre. A mon tour, je m'assoupis après avoir lu coup sur coup les bouquins de souvenirs de mes confrères et fortement amis José Giovanni et Alphonse Boudard, pour lesquels le passé est une planète inoubliable méritant un ultime détour avant que la ligne soit supprimée.

Las ! au moment où je confiais à Air-France le soin de bercer mes rêves pervers, il se passa un événement qui vaut d'être relaté. Béru lança un rot qui créa un instant de panique chez les passagers. Après quoi, il clama d'une voix miraculeusement retrouvée :

– J'ai les crocs !

Répercutée à l'hôtesse, la nouvelle l'atteignit de plein fouet.

– Mais, monsieur, balbutia-t-elle, le prochain service aura lieu dans deux heures seulement !

A quoi le résurrecté répliqua qu'il ne pourrait attendre, n'ayant rien clapé depuis quatre jours et que, faute d'un repas substantiel, il opérerait un détournement d'avion pour se faire conduire chez Bocuse, sans s'occuper de savoir si l'aéroport de Collonges-au-Mont-d'Or était équipé pour recevoir des Jets intercontinentaux.

Devant une telle détermination, la malheureuse hôtesse lui délivra dans les meilleurs délais un plateau bien garni, accompagné de quatre demi-bouteilles de pommard. L'ex-mourant s'en satisfit et clapa dans un formidable bruit de mastication rappelant une meute dévorant un fort gibier.

– Tu m'as l'air guéri ? lui fis-je.

Il me répondit d'un acquiescement muet, bruité d'un rot commandité par le laboratoire fabriquant l'Alka-Selzer.

Guéri il l'était presque, puisqu'il avait retrouvé sa voix et sa faim. Quelques passagers qui se faisaient chier vinrent le regarder gloutonner, intéressés par la performance.

Sa collation et ses boutanches englouties, le Gros se rendormit avec un sourire d'ogre rassasié. Il loufa d'abondance, ce qui fit craindre à quelques passagers une fuite de kérosène, et proféra, au plus fort d'un rêve épique, quelques phrases véhémentes dont certains voyageurs francophones furent troublés. Parmi ces dernières, je perçus distinctement : « Tu vas voir ta gueule, enculé d' ta mère ! On t'a jamais fait bouffer tes bas morcifs ? » Et surtout, celle-ci, qui eut ma préférence : « Tu veux qu' j' t'arrache les yeux et qu' j' chie dans les trous ? » L'ensemble dénotait une profonde rancœur, certes, mais corrigée par une indéniable poésie populaire inconnue de Paul Valéry.

Malgré ces folkloriques incidents, nous atteignîmes Montevideo à l'heure promise. Le Rio de la Plata, couleur de chiasse malgré son nom, séparait languissamment l'Uruguay et l'Argentine. La capitale d'un million et demi d'habitants (la moitié de la population totale du pays) est une cité paisible, moderne par beaucoup de ses aspects, dirait mon copain Michelin. Forte influence européenne. Là, comme ailleurs, les Indiens ont été exterminés, méthode efficace pour résoudre les problèmes colonialistes. J'en sais qui se mordent les noix, à présent, d'avoir remplacé les armes de la conquête par les produits pharmaceutiques de l'occupation car, comme l'assurait le bon Edgar Faure : « Quand on ne prend pas tout, l'on ne prend rien ! » Chez nous autres, en Europe, pour un Hitler empêché de mener à bon port sa « solution finale », tu trouves cent abbés Pierre et autant de Coluche qui foutent la vérole en distribuant de la bouffe et un toit à des mecs en perdition n'ayant même pas l'idée de reprendre la Bastille.

J'avais retenu des chambres à l'*Esmeralda Palace*, l'un des hôtels les plus réputés du pays. Tu le sais, car je ne m'en suis jamais caché : j'adore les palaces. Ils sont coûteux, mais me procurent inexplicablement une provisoire sensation d'immortalité. Leurs fastes pendeloqueurs ont pour moi un charme d'avant cette époque scateuse qui nous emporte irrésistiblement aux abysses. Ce personnel en uniforme, gentiment obséquieux (une obséquiosité tarifée), te donne l'impression que tu es important, même lorsque tu as la certitude de n'être qu'un étron charrié par la tornade d'une chasse d'eau.

Tu existes, sous de grands lustres d'opéra en faux cristal, parmi des colonnes de faux marbre, entouré de faux tableaux de maître. La balayette des gogues a un manche de faïence à petites fleurettes roses ; des fruits te sont proposés dans des corbeilles enrubannées, du champagne se gèle le cul de bouteille en des seaux embués. Les discrètes femmes de chambre ont des regards de biche prise en levrette, et le mec en smok qui roule la table du petit dèje semble convoyer le clystère de Louis le Quatorzième.

Vie factice, sans doute, mais qui, inexplicablement, me rassure en m'apportant un stupide mais indéniable réconfort, à moi que la timidité rend si frileux de l'âme et des os.

Le réceptionnaire de l'*Esmeralda* nous fait remplir nos fiches, avec la componction d'un attaché d'ambassade assurant le déroulement d'accords internationaux. N'ensuite de quoi, il décroche deux superbes clés, pareilles à celles figurant sur les armes pontificales, et nous entraîne vers les ascenseurs.

Béru paraît en proie à une récidive de son angine couenneuse. Il ne souffle mot mais vente énormément. Chez lui, le pet est devenu une espèce de moyen de formulation primitif. A la sonorité de ses loufes, je situe son état d'âme et sa vitalité. Un jour, j'écrirai un traité sur cette délicate question. « Du vent considéré comme mode d'expression. » Si le grand Rabelais, notre pair à tous, écrivaillons multipointures, s'est tant complu dans le vent, c'est qu'il en avait senti (si je puis dire) la portée...

Mon premier soin est de mettre le Pétomane au lit, après l'avoir bourré de cachets et autre gélules médicamenteuses. Après quoi je me rends dans mon propre appartement.

Parvenu à cette charnière d'un récit, pas encore très palpitant, mais qui va le devenir au fil des pages (aurait dit Henri III), il est bon qu'en romancier consommé (par la tige, de préférence) j'informe le lecteur de ce qui motive ma venue à « Montez-vite-et-haut » comme dit le Sanieux. Tu es certes un être dont l'intelligence peut se contrôler avec un simple pèse-lettres, cependant, depuis le commencement de ce livre, une question t'habite (dans les miches) : qu'est-ce qu'un géant de la Police française vient foutre en Uruguay ?

Faut qu'on en cause.

Voici quelques jours, j'ai reçu la visite d'un haut fonctionnaire britannique : sir Raidcomebar. Il portait un costume anglais et un porte-documents en box. Ses chaussures à triple semelle, style Weston, s'ornaient de perforations qui n'ôtaient rien à leur étanchéité. Sa moustache admirablement taillée, ses cheveux argentés coiffés impec (au point qu'ils avaient l'air d'être en carton), sa brève pochette de soie blanche et deux dents en or sur le devant de la scène confirmaient sa grand-albionderie.

J'avais convié le sir, pas gai du tout (c'était un triste sir) chez *Lasserre*, où j'ai mon rond de serviette à demeure. Nous avions commandé des incontournables truffes en pâte accompagnées d'une sauce enchanteresse, ainsi qu'un poisson qu'il eût été dommage que quelque Breton ne pêchat pas. Nous attaquâmes par un bordeaux, dit léger.

Sitôt avalé le merveilleux préambule offert par l'illustre cantine, Raidcomebar se saisit de sa pochette de cuir et en sortit différentes photographies. Il me les tendit. Les quatre images montraient quatre hommes dont, en fin limier que je suis, je compris rapidement qu'il s'agissait de notre personnage chaque fois transformé.

– C'est le même homme ? demandai-je à l'Anglais.

– Exact. Le connaissez-vous ?

– Il me semble bien que oui, conclus-je. Mais quand j'ai dû voir ce type, il ne ressemblait à aucun de ces portraits.

– Il m'intéresserait que vous trouviez sans que je vous informe davantage.

Je choisis l'un des clichés et me consacrai à son examen avec une minutie toute flicarde. J'allai même jusqu'à chiquer les Schnock Holmes en utilisant ma loupe de fouille pour mieux percevoir les détails.

Et puis cela me revint. C'était pas fastoche car le gusman possédait l'art de modifier jusqu'aux dominantes de sa poire.

Enfin, j'eus l'inspiration.

– Kurt Vogel ! exclamé-je-t-il.

– Exact ! fit seulement mon partenaire qui détenait les meilleurs réflexes du monde puisqu'ils étaient britannouilles.

– L'affaire Emerson, repris-je, il y a douze ans de cela. Un truc pas facile. Deux hommes, dont Vogel, ont abattu un diplomate chinois à sa sortie d'une réception à l'Élysée. Des agents de la sécurité qui se trouvaient à proximité les ont coursés et rattrapés après leur avoir tiré dessus. Le compagnon de Vogel a été abattu ; lui, a pris une balle et a été conduit à l'Hôtel-Dieu pour une opération d'urgence.

« J'ai procédé à son interrogatoire le lendemain de l'intervention. Il était trop faible pour répondre à mes questions, ou feignait de l'être. Le jour suivant, il s'évadait grâce à des complicités urbi et orbi et je ne l'ai jamais revu. Par contre, j'ai suivi la traînée sanglante de ses exploits postérieurs, tant en Angleterre qu'en Allemagne, au Japon et en Russie. C'est un type du style Carlos ; son audace est insensée et il paraît bénéficier d'une baraka éhontée. »

Sir Raidcomebar m'écoutait en humant son verre de Pomerol.

Il soupira :

– Pour moi, la France, c'est ça !

Il goûta au breuvage, fermit les yeux pour pleinement s'adonner à sa savourance.

– Dieu est grand qui a permis à notre planète de se refroidir et d'accorder aux tristes bipèdes que nous sommes des breuvages de cette qualité. Pensez-vous qu'un être malfaisant comme Vogel puisse apprécier pareille félicité, sir Raidcomebar ?

Il murmura :

– Ce serait dommage.

J'abordis les raisons de notre rencontre.

– Vous avez besoin de la Police parisienne ? lâchai-je avec une fausse innocence de placier en assurances.

– Non, répondit mon compagnon de table ; pas de la Police, de vous !

En guise d'interrogation, et soucieux de garder mon flegme en présence d'un spécialiste, je me contentis de hausser un sourcil (le droit, si mes souvenirs sont fidèles).

Après, j'attendis son bon vouloir en buvant à mon tour une gorgée de vin.

Il finit par dire :

– Vous êtes le seul policier au monde qui ait parlé à cet homme. Le seul à avoir eu le temps de le regarder dans les yeux. Les portraits de lui que je vous ai montrés sont des photos d'indicateurs alléchés par les primes, donc de gens guère fiables. Nous avons, à Londres, obtenu des renseignements dignes de foi nous assurant que ce bandit séjourne en Uruguay. Il y aurait « préparé ses arrières », comme vous dites ; peut-être envisage-t-il carrément une retraite prématurée ? S'il s'est fait rémunérer en rapport de ses forfaits, l'argent ne doit pas lui manquer.

On se prend à faire réflexions à part, lui et moi. Je le vois viendre, l'apôtre anglican : il espère que je vais partir pour « Montez-vider-l'eau » et me mettre à la recherche de son lascar. Cette perspective ne me déplaît pas, à vrai dire. Je raffole de cette chasse où le gibier est chaque fois « de potence ».

On nous apporte nos truffes et, du coup, c'est le recueillement intégral de nos papilles gustatives.

– *Beautiful*, soupire mon Rosbif. Voici un plat qui mobilise à peu près tous les sens.

Impossible d'aller plus avant dans la discussion, le grand moment de la félicité clapeuse est arrivé. Tu ne peux pas savoir quel mariage princier constitue cette truffe avec le vin d'un terroir qui lui est proche.

C'est mézigue qui reprends le crachoir au bout de quelques bouchées d'exception :

– En somme, vous aimeriez que je parte pour l'Uruguay et vous aide à débusquer le loustic ?

– C'est un bon résumé de la situation, reconnaît l'homme à la chevelure de carton. Naturellement, nos services prendraient en charge tous vos frais.

Je souris.

– Vous me demandez de jouer le rôle du faucon. Je lève la proie, la saisis de mes serres et vous la livre toute vivante ?

Il acquiesce :

– C'est une manière romanesque de voir les choses.

– Et mes services ont droit à quoi, dans cette croisade ?

– Le prestige. Toute la gloire de la capture vous reviendrait.

– La gloire mais pas le client ?

– Nous vous laisserions enquêter sur ce qu'il a commis en territoire français. Vous l'interrogeriez en collaboration avec nous.

– Seulement il serait détenu en territoire britannique ?

Le Rosbif a un petit sourire badin :

– Nous n'allons pas nous disputer la peau de l'ours avant de l'avoir seulement retrouvé ? Je vous propose une alliance, *my friend.* Loyale ! Et tout de suite vous envisagez un marché de putes.

– De « dupes » rectifié-je ; la nuance est importante pour le sens de la phrase.

Je lève mon verre et lui porte un toast.

– Banco, je marche !

Ses lèvres minces s'écartent derechef pour laisser briller ses deux ratiches en jonc.

– Je savais que vous étiez un grand professionnel et que vous ne déclineriez pas ma proposition.

Il sort un petit fourre-tout de plastique orange et me le tend.

– Vous trouverez là-dedans tout ce que nous avons pu rassembler comme renseignements à propos du sinistre personnage. Il y a également l'adresse de nos correspondants à Montevideo ; vous pourrez faire appel à eux en toute circonstance : ils se mettront à votre disposition.

– *Thank you, sir.*

– De l'argent vous y sera versé, en quantité non négligeable.

– Vous êtes une corne d'abondance ! Que je vous informe d'une chose : je n'irai pas seul là-bas, l'un de mes principaux collaborateurs m'accompagnera.

– Est-ce bien utile ? se renfrogne le James Hadley Chase de la Rousse.

– Indispensable. L'homme en question m'accompagnait le jour où je suis allé interroger Kurt Vogel à l'hôpital. Deux paires d'yeux valent mieux qu'une seule.

– Élémentaire, mon cher San-Antonio, approuve le truffophage !

CAPITULO TRES

La Calle Alonso Boxif est une petite artère située en plein centre-ville. Elle est légèrement en pente et des antiquaires qui méritent davantage le nom de brocanteurs s'y succèdent. Rien de très convoitisable dans leurs vitrines. L'Uruguay est de ces pays dont le passé a commencé tard. On y trouve une merderie sans grand intérêt. Cela va du bijou en toc au jouet de fer peint début de siècle, en passant par des chromos que ta concierge refuserait pour orner sa loge. Un couteau, une montre de gousset en nickel piqueté y font figure de pièces rares.

Je cherche le 28 et parviens devant une boutique de souvenirs invétustes. J'ai du mal à imaginer que des agents secrets (ou assimilés) puissent avoir comme P.C. un lieu d'une telle banalité.

Malgré tout, je pénètre dans le magasin. Un poste de radio diffuse une jactance sud-américaine qui semble s'être emballée. Ça te fait comme quand tu rembobines une bande de magnéto. Ce qui en sort ressemble soit à cet espéranto utopique auquel crurent, avant la guerre, quelques allumés de la matière grise, soit à la jacte d'un perroquet qui s'exprimerait en sanscrit sinapisé.

Un instant s'écoule avant que je ne découvre un vieux gus maigre, à poils blancs inrasés, affalé dans un fauteuil d'osier que les brocanteurs de sa rue doivent guigner avec cupidité.

Je le salue aimablement et, sans attendre, lui demande s'il a des améthystes à vendre.

Il me répond que pas.

Je déclare alors au vieillard que je suis amateur de cette pierre et que s'il peut m'adresser à quelqu'un susceptible d'en fournir une quantité estimable, je lui en saurai gré.

– Vous êtes français ? interroge ce noble vieillard.

– De Paris, lui précisé-je.

Il me dit alors de lui donner mon adresse, qu'il réfléchira à la question et me fournira une réponse dans les meilleurs délais.

Voilà, c'est tout. Je retrouve le soleil dont on ne dirait guère qu'il est en cours de refroidissement depuis des millions d'années et, en homme organisé, passe à l'ombre.

Petit tour de ville. Pas de quoi se mettre la queue en trompette. Trop d'Européens ont investi ce pays pour qu'il soit réellement exotique. Des immeubles modernes avec, çà et là, des vestiges espanches. Il est clair que les Uruguayens se soucient davantage du présent que du passé ; ils produisent de la barbaque et des cuirs, des céréales aussi, cela suffit à leur prospérité. Moi qui raffole des patelins clitoresques (dit le Gravos), je me trouve un peu juste de folklo. Mais comme ce n'est pas le tourisme qui m'amène, je n'ai aucune réclamation particulière à déposer au syndicat d'initiative.

Après un moment d'errance à travers la ville, je rallie notre hôtel. Le voyage pèse un brin sur mes paupières et cotonne mes muscles.

Dans sa turne de luxe, monseigneur Grasdouble en concasse. Faudrait l'opérer des végétations, il me semble. En voilà un qui sait comme personne utiliser ses moindres orifices pour exploiter les sonorités de son corps, lequel constitue un orchestre à lui tout seul.

Je lui souris à blanc et gagne ma piaule, située au même étage.

Vue sur le Rio de la Plata, de plus en plus

couleur chocolat et qui ressemble à quelque monstrueuse diarrhée.

Avec une application de petite femme d'intérieur, je défais ma valoche et range mes harnais dans la penderie. Lorsque cette opération est achevée, je me déloque et m'étends nu sur le grand lit matrimonial.

Ma fatigue est de plus en plus pressante. La preuve en est que je bande comme un mât de misaine. Dommage de laisser pareille érection inemployée. Quand tu penses au nombre de moudus qui sont prêts à aller à Lourdes à pied pour demander à la Vierge de leur accorder une seule triquerie de cette magnitude dans leur vie ! Le Seigneur me choie, y a pas. J'ai pas honte de Lui rendre grâce.

Je glisse dans un sommeil que d'aucuns prétendraient réparateur. Le zonzon du climatiseur me restitue l'impression de l'avion. Je fonce à travers les nues. Tout est doux, flou, bleuté.

Rêvé-je ? Il se peut. N'en conserve pas la moindre conscience. Duraille d'évaluer mon temps de *no man's land*. Un cerf-volant qui sarabande dans du bleu...

Pourquoi, au bout d'un moment difficilement évaluable, ma félicité est-elle gentiment rompue ?

Je bâille, ouvre un œil ou deux ; j'ai pas pris garde.

Sursaut du poulardin !

Je découvre, en contre-jour, une silhouette dans le fauteuil qui fait face à la baie vitrée.

Elle me tourne le dos.

Je rassemble mes facultés usuelles.

– C'est à quel sujet ? que je demande.

L'occupant du fauteuil pivote.

Une femme. Et pas dégueu, ça saute aux yeux en attendant mieux.

A cet instant, deux choses me frappent : je suis nu et toujours dans un état d'érection avancé. Mon guignolo, tu croirais un pylône à haute tension dans un champ beauceron. La dame ne peut se retenir de le reluquer, un peu comme tu contemples l'amphithéâtre de Delphes lorsque tu te trouves tout en haut des gradins.

Pour souscrire à la plus élémentaire pudeur, j'empare un oreiller pour m'en faire un cache-sexe.

– Dommage ! murmure la personne dans un anglais irréprochable.

– Ce n'est qu'un au revoir, la rassuré-je. Il faut bien se soumettre à la décence, parfois.

Elle quitte le fauteuil pour s'approcher de moi. C'est un petit sèvres blond, d'un mètre cinquante-huit, avec des yeux tellement bleus qu'un ciel d'été ressemblerait à un champ d'épandage, en comparaison. Comme beaucoup de filles de petite taille, elle coltine un bustier rempli de bonnes choses. Son sourire se pare de deux fossettes irrésistibles et montre des dents briquées plus blanches que blanc.

Je la hume à deux mètres.

– Arpège, de Lanvin ! dis-je.

Elle est estomaquée :

– Vous, alors, vous n'êtes pas français pour rien !

– Il faut bien que nous présentions quelques avantages. On ne peut se contenter de posséder la meilleure cuisine, les meilleurs vins et les meilleurs coïts de la Création, ça ne nous suffirait pas à établir la différence. C'est comment votre nom, déjà ?

– Pamela Right.

– Je prends. Vous savez le mien, je suppose ?

– Oui, mister San-Antonio.

– Vous avez l'habitude d'entrer chez les gens sans vous faire annoncer ?

– Quand la prudence l'exige.

– C'est sir Raidcomebar qui vous envoie ?

– En effet. Mais il serait préférable de ne pas prononcer de noms.

– Je connais le vocabulaire sourd-muet. Si vous le comprenez, nous pourrons nous exprimer avec une plus grande sécurité.

Elle sourit sans se faire prier. M'est avis que je ne lui déplais pas. Puis, tout à fait sérieuse, voire tendue, elle déclare :

– Cette affaire est peu banale et je sens qu'elle va nous ménager d'énormes surprises.

– Vraiment ?

Elle retourne au fauteuil où elle attendait mon réveil et prend un journal dans son sac de plage.

– Vous n'avez pas eu le temps de lire les journaux ?

– Vous savez, la presse uruguayenne n'a jamais été ma tasse de thé !

Je cramponne son baveux et la photo du « gars » me saute au visage comme un coup de soleil en plein Sahara.

– Je le reconnais un tout petit peu mieux là-dessus que sur les clichés qui me furent montrés, assuré-je. Qui a fait publier ce papier ?

– Officiellement, la Police ; en réalité, celle-ci ne serait pour rien dans la diffusion de cet article. Il semblerait que quelqu'un ait voulu alerter notre client. N'ayant pas la possibilité de le joindre, il aurait usé de ce procédé...

– Voilà qui nous coupe l'herbe sous le pied, grommelé-je. Quel gâchis ! En découvrant cela dans les kiosques à journaux de la ville, le gaillard s'est empressé de prendre la tangente...

– Peut-être pas, murmure Pamela. Cette photo excite la population. Pendant quelques jours, tout un chacun va tenter de repérer l'*outlaw* ; se montrer dans des lieux tels que gares ou aéroports, sans parler du port, serait imprudent.

C'est pas idiot, ce qu'elle dit. Elle a certes un petit crâne proportionné à sa taille, mais il y a de la marchandise à phosphorer dedans.

– Y a-t-il un moyen de découvrir l'auteur de cet article ?

– Difficile. Le rédacteur en chef de l'*El Dia* a eu une communication de l'hôtel de police pour lui annoncer qu'il allait recevoir par coursier cet avis de recherche. Il l'a publié sans la moindre arrière-pensée car il lui arrive fréquemment de coopérer avec les flics.

Un instant s'écoule. Pamela a déposé son brin de cul sur le couvre-lit. Elle reste grave, voire d'une grande soucieusité.

J'ôte l'oreiller-cache-sexe, histoire de vérifier dans quelles dispositions paranormales se trouve mon périscope. Eh bien ! figure-toi qu'il est resté au garde-à-vous, le bougre ! Chibre racé, nerveux. La jugulaire de service bien assurée pour tenir son casque romain d'équerre. Il a du muscle, mon muscle. Les dames me l'assurent appétissant ; mieux : me le prouvent ! Pamela en est distraite de ses contrariétés professionnelles.

– Ne croyez-vous pas que nous devrions mettre à profit les bonnes dispositions de ce membre pour mieux nous connaître ? fais-je.

Elle a une expression de vif regret.

– Navrée, mais je suis empêchée présentement.

Moi, rien qui me foute plus en pétard que la ragnasserie d'une gonzesse que je convoite. Je considère la chose comme une monstrueuse trahison, et si je ne me retenais, lui baignerais le museau pour lui apprendre à être étanche, bordel ! N'illico, je me crispe, adopte la mine compassée d'un paon qui vient de se faire traiter d'oie.

– N'en parlons plus ! grogné-je, sincère.

Qu'elle aille se faire voir par les Grecs, la mère Tampax ; pour eux, la vente continue pendant les travaux.

Je saute du lit, puis dans mon caleçon affriolant. A poil au lit en présence d'une gerce, ça va. Mais debout, t'as l'air tout de suite d'un minable, avec ta chopine qui dodeline, les poils de ton cul hirsutes et tes bras ballants de chimpanzé désœuvré.

Je délourde le bar de la chambre.

– On boit ? je lui demande.

– Un petit whisky sec.

Je la sers, hésite et finis par m'octroyer un Campari-rhum blanc.

Nantis, nous nous asseyons face à face dans deux fauteuils qui ressemblent à des barques échouées à marée basse.

– Puisqu'on ne fait pas l'amour, on peut du moins causer, je remarque.

– C'est évident, elle convient.

– Parfait. Avant tout, j'aimerais dissiper un doute, chère Pamela. Il concerne ma venue dans cette affaire. Depuis la visite que m'a rendue votre boss, avec sa belle chevelure de carton et ses dents aurifiées, plus je réfléchis au prétexte flatteur qu'il a invoqué, comme quoi je suis le seul flic de la Création à avoir vu votre client, plus son argument me paraît léger. Alors, maintenant que je suis à pied d'œuvre, il va falloir me sortir une meilleure raison, ma biche ; une plausible pour policier expérimenté, et pas un argument à l'usage des glandus qui achètent des talismans de fête foraine en espérant obtenir amour, gloire et richesse.

Ses cils battent un brin. Tiens, elle n'est pas si aguerrie que ça, la mauviette. Suffit de hausser le ton pour la désarçonner.

– Je ne comprends pas, assure-t-elle du mieux qu'elle le peut.

Je ris vilain. Sarcastique est en dessous de la vérité. Mon regard doit se faire terrible.

Lors, la porte s'*open* et le Mammouth

déboule dans mon espace vital ; accoutré comme y a que lui à pouvoir, écrirait M. Simon, l'écrivain sans point virgule de la littérature plus ou moins française de ces temps derniers.

Il s'est vêtu à la hâte, sans avoir totalement récupéré ce qu'on pourrait, par excès, appeler ses facultés mentales (et lamentables). Ne porte dans sa partie supérieure qu'un gilet noir, verdi sous les aisselles, et dans ses soubassements, une chaussette blanche et une chaussette marron, tenues l'une et l'autre grâce à cet accessoire, obsolète depuis Feydeau, qu'on nommait « fixe-chaussette ».

Son nestor de 41 centimètres hors tout brimbale au rythme de sa marche plantigradeuse. L'objet présente un indéniable intérêt scientifique et je prie parfois le Seigneur pour que son possesseur ne périsse pas dans un naufrage ou un incendie, afin qu'il finisse dans un bocal de formol du musée de l'Homme, comme l'a prévu par testament son heureux propriétaire.

Ma « correspondante » britannouille de mes chères niques a émis une exclamation en découvrant le phénomène. Phlegmon anglais mon zob, comme dit le bénéficiaire d'un tel membre (actif). Elle est sidérée, pétrifiée, abasourdie, prise au dépourvu. Quant tu ne t'y attends pas, ça interpelle tout ton conscient, tout ton inconscient, et également ton subconscient. Ça te déshydrate. Tu pantelles de l'intérieur. Alors tu regardes, puis regardes encore. Tu cherches à comprendre. Tu hypothèses sur le devenir d'un tel braque lorsque le désir l'empare. Une notion d'impossibilité (surtout quand tu appartiens au sexe opposé) te frappe, peur et obscure convoitise confluent.

– Je vous présente Alexandre-Benoît Bérurier, mon collaborateur !

Tu sais quoi ?

Britiche coûte que coûte, elle trouve le moyen de proférer un « Hello » pareil au râle d'un diplodocus à l'agonie.

– Voici miss Pamela Right ! complété-je pour Sa Seigneurie excrémentielle.

Messire Toutempaf s'approche et tend son petit doigt à l'Anglaise d'un geste rond et fort civil.

– J'v' présente pas la paluche entière, miss Mademoiselle, s'excuse l'homme du monde. Par advertance j'ai bédolé dans l' bidet au lieu du gogue et j' vous raconte pas c' bonheur qui s'est suivi pou' r'faire un brin d' ménage. Mon angine couenneuse dont d' laquelle j' souff' m'interdictionne d' faire des blablutions, c'est pourquoive j' sus p't' ête pas aussi cline que de d'habitude. N' heureus'ment qu'avait un flacon d' parfum dans la sall' d' bains : ça cache l' plus gros.

Il s'assoit à la milliardaire amerloque, le ventre en avant, la durite pendant du fauteuil, les bras arrondis sur les accoudoirs. Heu-reux !

– C' te fois, j' sus bel et bien guéri, m'annonce-t-il, on va pouvoir s' mett' à la recherche d' leur gonzier. Je m' sens fraise et dix pots comm' si j' s'rais en croisière. Slave dite, vous poussez des tronches pas fraîchouilles, mes agneaux, y aurerait du mou dans la corde à nœuds qu' ça n' m'étonn'rait pas.

Perspicace, non ?

Je lui résume les derniers événements, à savoir cette intempestive publication dans le baveux du morninge.

– S'lon d'après moive, conclut le Docte, ça correspond à un coup au bidon.

– C'est-à-dire ?

– Sept-à-dire que ça viendrerait de vot' gusman soi-même personnellement, j'en s'rais pas surprille.

– Tu débloques, Gros ! Tu imagines un homme en fuite en train d'annoncer où il se trouve ?

Il se met en biais pour une loufe qui manque de fierté d'expression sur un coussin tendu de velours frappé.

– J' sais, grand, j' sais ; n'empêche qu'avec mon instincte, j' renifle c' genre d' truc-bidule.

– T'as des ratés dans la pensarde, laissé-je dédaigneusement tomber.

Vexé d'être traité d'amoindri en présence d'une personne du sexe (personne qui aurait du mal à héberger le sien si le désir l'en prenait), le Gros se tait en grattant avec furia la broussaille qui lui pousse sur le devant de la scène. Il psalmodie d'une voix de muezzin du haut de son minaret :

– J' vous dille qu' vot' gazier vous prend pour des pieds-nickelés, qu' vous fussassiez franchouillards ou rosbifs, mes chéris.

Changeant de sujet, je lui demande en lui tendant le baveux du jour :

– Tu reconnais ce pèlerin ?

Il défrime la photo d'un air hostile, comme on considère le mec qui vient d'annoncer, en te regardant, qu'il y a un con dans la salle.

Et catégorique :

– Inconnu au bâillon !

– Nous l'avons vu une fois, cependant. Nous sommes allés l'interroger à l'Hôtel-Dieu après qu'il eut, en compagnie d'un complice, refroidi un diplomate chinetoque devant l'Élysée. Il était gravement blessé et n'a pas répondu à nos questions. Cela ne l'a pas empêché de jouer la belle quelques heures plus tard !

– C'tait pas c' moudu ! affirme avec péremptoirité l'angieux-couennard.

Son affirmation aussi vive que spontanée me la sectionne au ras des poils pubiens.

– Comment peux-tu te montrer aussi catégorique ?

– J' peuve ! répète sourdement l'homme qui réussit à faire avec son anus ce qu'une formule I fait avec ses pots d'échappement.

Il charpente son affirmation :

– Tu l'auras r'marqué, Sana, moive j'ai la mémoire des gueules. Un gonzier qu' j'ai r'nouché à n'importe quelle occasion, il reste dans mon bocal comme dans un fichier. Le gus, pour l'histoire d' l'Élysée, tu peux l' déguiser en zouave ou en maradaja, il bronche plus d' mes souv'nirs. Alors faut pas vouloir m' fourguer du miel d'oreille pour du miel d' Provence. Quand est-ce j'affirme qu'on n'a jamais rencontreré c' t' oiseau, j'en donne ma bite à couper. Je m' fais-je-t-il bien comprend' ?

Jusque-là, l'Anglaise était fascinée par le membre du Dinosaure, mais la déclaration catégorique de Dom Chibrac la détourne de son regardage.

– Vous comprenez le français ? je la questionne-t-il.

– Convenablement, répond-elle.

– Vous entendez ce que dit mon collaborateur ?

– J'en suis ébranlée.

– Quand j' t'ébranl'rai avec mon zob, tu sauras plus quel jour qu'on est, ma poule ! promet le Facétieux. Note qu'on peut avoir des doutes, compte t'nu d' ton gabarit. N'empêche qu'on a des bonnes surprises, parfois. J' me rappelle d'Yvonne, un' Laurentin du Vivier, près d' Saint-Locdu-le-Vieux. L'était pas plus grosse qu'un' pompe à vélo et é m' cherchait. Si tell'ment qu'un *day* j' lu fais, charitab' ment : « Ma pauv' môme, jamais t'auras la moniche capab' d' me rec'voir. Même av'c une euthanasie générale tu supportererais pas un engin comme l'mien. »

« N'alors vous savez quoi-ce ? J' la reverrerai toujours, la Vonvon. On s'tenait dans la grange au Mathieu qu'était loin du village. E' s' met à furereter et s' ramène n'avec une bett'rave sucrière dont on cultivait par chez nous.

« Prête-moive ton couteau, Sandre ! »

« J'y r'file mon Opinel, et ma gosse qu'avait d' l'hygiénerie entr' prend d'éplucher la carotte. Quand elle a eu fini, elle a ôté sa culotte sans jambage et s'est écarquillé le michier. E s'tenait kif un' grenouille.

« Vise un peu, Sandre ! »

« Et la v'là qu'incinère la chénopodiacée dans sa figue. Douc'ment mais sûr'ment. Franch'ment, j'en reviendais pas. T'aurerais cru à d'la magie.

« Tu parles qu'ça m'a calmé les doutes ! Après c't' démonstration, y m' restait plus qu'à entrer en scène à mon tour. C' que j' vous cause là c'est pour en reviend' à vous, p'tite lady. V's'avez beau avoir la taille comme un rond d' serviette, j' vous fous mon bifton qu' j'emmène mon Popaul en randonnée dans vot' foufoune pour peuve qu'on ait de l'oléagineux à disposance.

« Mais pou' c' qui est du brigand dont nous recherchons les uns et les autres, j' prévoye un' combine pas tristoune. C'est c' malin qui a tout organisé. Vous savez-t-il biscotte ? Parce qu'il est au courant d' not' présence à tous dans le coinceteau : les connards, les Français, les Urugrainiens et toutim. M'sieur l' brigand campe sur ses dispositions. Il a son plan, et si ça s' trouve, il va nous baiser la gueule, j' pressens, moi qu'ai des monitions dans les cas graves.

« Bon, c'est pas tout ça. J' sens, ma p'tite lady bioutifoule, qu' mon braqu'mard v's'intéresse. Ça vous direrait d'y faire un gros mimi su' l' casque, en signe d'affectuosité ? »

CAPITULO CUATRO

– Mon nom est Ramirez y Ramirez, m'informa le lieutenant de police, mais appelez-moi seulement Ramirez ; entre confrères on ne va pas faire de manières.

C'était un beau grand con long d'un mètre nonante, diraient mes amis helvètes. Il disposait d'un visage aristocratique de garçon coiffeur de banlieue, portait des rouflaquettes de danseur argentin, un regard charbonneux ombragé (comme on dit puis en littérature de haut niveau) par des cils qui doivent faire pâmer toutes les serveuses de bar de la ville et de sa périphérie. Ajoute à ce portrait enchanteur un nez légèrement busqué, dix-huit dents éclatantes, deux pourries et douze manquantes, une cicatrice de coup de couteau à la joue gauche et, au-dessus de la lèvre supérieure, le liseré de moustache le plus foutrical de l'hémisphère Sud, et t'auras un aperçu approximatif du personnage.

Une carafe de *clerico* (sorte de sangria) attend sur une table basse. Il en emplit deux verres et m'en tend un.

– Très désaltérant, par ces chaleurs ! me dit ce ténébreux de la Rousse uruguayenne.

Je prends le verre, lui porte un toast. C'est bon, avec un léger goût d'épices. Nous buvons cul sec.

Puis il me brusque :

– Que puis-je pour vous, *señor director* ?

Je dépose l'*El Dia* devant lui.

– Vous n'avez pas pu manquer cet article, lieutenant.

– Naturellement. Quelqu'un a abusé de la bonne foi du journal pour le faire publier.

– L'individu dont il est question vous serait-il connu ?

– Nous avions reçu auparavant des renseignements occultes sur cet homme. Il s'agirait d'un terroriste entré clandestinement en Uruguay.

– C'est difficile à réaliser comme prouesse ?

– Oui, si l'on emprunte une ligne aérienne internationale ; beaucoup moins si l'on arrive d'un pays limitrophe avec un groupe de touristes.

– Deux nations seulement sont vos voisines : l'Argentine et le Brésil ? fais-je en montrant une carte accrochée derrière son bureau.

– Bien suffisant, assure Ramirez et la suite, d'un air entendu. Les grands pays sont un chiendent pour les petits comme le nôtre. Nous possédons un rythme de vie et un bien-être qui séduisent nombre de gens peu recommandables, ce qui nous contraint à une vigilance constante.

– Pour revenir à l'ordre du jour, lieutenant, vos services ont-ils une idée de l'endroit où il se terre ?

Ramirez hésite, emplit nos verres, mais, au lieu d'écluser le sien, décide d'allumer une cousue et finit par répondre à ma question par une autre :

– Vous avez partie liée avec les Britanniques ?

Je souris à son regard scrutateur, plissé par la fumée de la cigarette.

– Ce n'est ni aussi simple, ni aussi excessif, lieutenant.

En quatre phrases admirablement construites, je lui résume la requête que m'a présentée sir Raidcomebar quelques jours auparavant.

– Si j'ai accepté sa proposition, dis-je, c'est que je suis résolument hostile à toute forme de terrorisme ; c'est là un mode d'action que je juge vil parce qu'il fait fi des droits les plus élémentaires de l'être humain. Aucune cause ne vaut qu'on lui sacrifie des innocents. On ne solutionne jamais un problème par l'horreur.

« Mais pour répondre très sincèrement à votre question, je ne me sens pas lié à mes homologues anglais, pas plus que vous, cher Ramirez y Ramirez y Ramirez, ne sauriez l'être avec moi. Nous faisons des métiers similaires et nous nous devons assistance pour traquer les criminels. Cela dit, les intérêts de nos pays priment sur notre confraternité. »

A dire vrai, j'ignore tout de l'hymne uruguayen, mais si j'en connaissais quelques strophes, je les entonnerais bien volontiers pour parfaire un aussi brillant discours.

Son âme américano-latine frémit. Il me tend cinq doigts fortement imprégnés de nicotine pour une poignée de main qui finirait un film d'épopée sur fond de drapeaux ventés.

– *Amigo*, me dit-il, si vous me promettez de ne pas révéler aux Britanniques ce que je sais, je vais vous le dire.

Dare-dare, je tends la main pour un serment qui ferait déféquer dans son froc un amiral de *ferry-boat*.

– Je vous donne ma parole de haut fonctionnaire français ! déclamé-je comme à une matinée théâtrale de la Comédie-Française.

Il écrase son mégot dans un cendrier de marbre.

– Depuis hier, mes services ont repéré l'homme en question et le surveillent étroitement.

– Mes plus vives félicitations, lieutenant. Vous comptez l'appréhender bientôt ?

– Sitôt que nous serons en possession de son dossier, car, jusqu'à plus ample informé, nous n'avons officiellement rien à lui reprocher.

Douche.

– Oui, soupiré-je, je comprends. Vous ne craignez pas qu'il prenne la fuite après avoir eu connaissance de l'article d'aujourd'hui ?

– Soyez tranquillisé : mes effectifs sont sur la brèche ! S'il tentait de filer, alors nous interviendrions.

Hommage par mimique expressive du grand San-Antonio.

– L'on m'a souvent assuré que votre police était l'une des meilleures du monde ; je constate que c'est la pure vérité !

Cette fois, il va devoir rentrer chez lui pour changer de slip, vu que le sien est à essorer.

Il a un élan. Un beau et noble élan doré à la feuille.

– Vous avez un peu de temps devant vous, cher ami ?

Je tricolore des pupilles.

– A vous consacrer ? Du temps, non ! Ma vie entière, lieutenant.

– Alors, suivez-moi !

Dans la cour de l'hôtel de police se trouvent une tripotée de guindes dont la plupart sont ricaines. Il choisit une Chevrolet bleue aux portes latérales coulissantes ; le véhicule est banalisé. D'un geste, Ramirez ordonne à un perdreau de prendre le volant puis il me prie de monter à l'arrière et s'installe à mon côté. Il jette une adresse que je ne peux mémoriser car il jacte plus vite que son ombre, l'*hombre* !

On se met à déferler dans « Montez-vider-l'eau ». C'est l'heure précrépusculaire. Les petites boutiqueries de plein air plient bagage et la circulance se fluidifie. Mais il y a encore plein de gens sur les trottoirs, des couples de jeunes se tenant par la taille, quelques vioques aussi, à la démarche malaisée qui traînent leur fin de destin dans la lumière rasante du couchant. Tout paraît tranquille, bon à vivre. On devine un pays sans gros problèmes. La population est, en majorité, de souche européenne, et ça reste décelable malgré des éléments folkloriques d'origine noire et métisse.

On remonte l'Avenida 18 de Julio, riche en vestiges architecturaux. Le bon Ramirez fume comme un sapeur et l'odeur de son tabac me fout la gerbe, à moins que ce ne soit le « coup de volant particulier » de notre driveur ?

A présent, on quitte la ville pour suivre la route de Maldonado. Des maisons résidentielles dominent la mer. Blanches, d'un style franchement moderne, entourées de palmiers et de plantes épineuses.

Pourquoi me mets-je à rêver de l'une de ces constructions ? Qu'en ferais-je ? Des vacances avec Félicie ? Elle n'apprécierait pas le dépaysement, ma vieille chérie. Pas trop longtemps. Quelques jours, comme ça, pour être avec moi. Son univers, à elle, c'est la *casa* de Saint-Cloud : le bout de perron, le jardin, la tonnelle aux rosiers grimpants. Elle ne voit pas les immeubles dits « de grand standinge » qui nous cernent, certains revêtus de marbre blanc ou rose. Ils ont des balcons avec vue sur Paris. T'aperçois la Tour, l'Arc, le Panthéon, Montmartre. Et puis la Seine qui reptile doucement...

Vue sur nous autres, également, imprenable ! N'ont qu'à se pencher pour apercevoir ma Féloche de retour du marché, Pilar, notre Ibère, qui étend le linge dans la courette arrière, ma pomme déboulant de ma Ferrari et remontant la petite allée après avoir jeté un œil à la boîte aux lettres. On est offerts à toutes les curiosités voisineuses. Parfois, le dimanche, nos voisins huppés reçoivent des croquants de leur monde.

Il arrive qu'ils me montrent à eux. « C'est San-Antonio, vous savez, ce flic qui écrit des livres ? On dit qu'il gagne pas mal d'argent : il pourrait s'offrir une habitation mieux que celle-ci, plus en rapport avec sa situation. Je pense qu'il reste ici à cause de sa mère à laquelle il semble très attaché. »

Moi, je feins de ne rien voir. Si je m'écoutais, je tomberais mon bénoche et leur montrerais mon cul ou bien ma belle biroute satinée du bout. Mais à quoi bon scandaliser : ils le sont suffisamment avec ce que j'écris. Quoique à force d'à force, ils en prennent l'habitude, se formalisent de moins en moins ; je suis doucement rattrapé par la dépravation générale. Le jour viendra où je serai devenu rétro ; on saura plus me dissocier de la comtesse de Ségur. C'est George Sand qui fera figure d'avant-gardiste avec son *François le Champi* qui finit par s'embourber la fermière compatissante ; après l'avoir épousée, œuf corse. Suffit d'attendre, inexorable, le temps travaille pour, puis contre toi.

Pour t'en revenir, si j'avais une crèche ici, j'amènerais des frangines pour y vivre des lunes de miel. Ça remplacerait les petits entresols Renaissance de jadis. Je viendrais juste tirer des sœurs, à Montevideo. Cinq-six jours, pas davantage. L'exotisme porte à la peau. Je les tirerais en grand, face à l'estuaire, leur désignerais l'Argentine de ma bite. On boirait du fermenté douceâtre. Tu le sais, je raffole des alcools *sweet*. Les gueules de bois qui en consécutent sont méchantes et te poissent la clape, mais c'est vachement divin sur l'instant. T'as jamais bouffé une jouvencelle en éclusant du lait de coco alcoolisé, Alfred ? De première ! Non, crois-moi : y a des choses belles à vivre pendant qu'on le peut.

– Vous paraissez préoccupé ? me remarque Ramirez.

– Je réfléchis à cette affaire, mon cher confrère.

Il respecte ma méditation. Je gode langoureusement dans mon bénoche. La Chevrolet ralentit et attaque une rampe. Route en lacet, bordée de lauriers des deux côtés. Elle gagne un petit terre-plein où sont aménagés des bancs de bois et des longues-vues fixées sur un socle. Tu glisses quelques pièces dans la fente et ça te grossit un coin d'univers pendant quelques minutes. Mon presque ami s'empare d'un des appareils d'optique, le braque sur la collinette voisine, le règle, le fixe et me fait signe d'apporter mon œil préféré jusqu'à l'objectif.

J'ai alors en gros plan la maison de mes rêves. Imagine une construction d'un blanc immaculé sur le bleu nuit du ciel. Les formes en sont hardies dans leur désinvolture. Cela fait vaguement penser au château de sable d'un gamin doué. Y a une tour carrée en son centre, de fausses échauguettes un peu partout et, sur sa partie la plus haute, une étrange sculpture, également blanche, inspirée de Miró. Les fenêtres asymétriques sont dépourvues de volets, ce qui confirme l'aspect « citadelle d'amour » voulu par l'architecte, lequel ne doit pas être un croûton routineur, mais un gonzier soucieux de faire évoluer le schmilblick.

– C'est là qu'habite notre homme, révèle mon lieutenant de police.

– Seul ?

– Rigoureusement. Il dispose d'une servante payée par l'agence qui lui a loué cette habitation.

– Il sort beaucoup ?

– Le soir seulement. Il se rend au restaurant, fait un bon repas, et va boire des verres dans des boîtes à filles. Il lui arrive de monter avec l'une d'elles pour une passe assez brève. J'ai questionné certaines de ses compagnes d'un moment. Elles le trouvent plutôt gentil et généreux. Ce n'est pas un type à « manies ». Il fait l'amour le plus simplement possible sans témoigner d'exigences particulières.

– Il ne reçoit personne à la *casa* ?

– Jamais.

– Il téléphone ?

– Très peu, et en tout cas ne reçoit aucune communication.

Je visionne la maison, œuvre d'art singulière sous la lune. Une lumière brille au rez-de-chaussée. Je distingue une bagnole sur un parking abrité par des parois florales : une Mercedes blanche qui n'est pas de la première jeunesse.

– L'auto lui appartient ?

– Non, elle est louée avec la maison.

– Donc, l'homme a un contrat de location et je suppose qu'il a dû verser une caution pour pouvoir disposer de cette ravissante demeure ?

– Exact. L'agence lui a demandé vingt-cinq mille dollars qu'il a réglés en espèces.

– Ce qui est plutôt rare ?
– Unique.
– Quelle explication a-t-il donnée ?
– Aucune. C'est pas le genre d'homme qui parle beaucoup, selon les gens qui ont affaire à lui.
– Son passeport ?
– En règle.
– Il est sujet allemand ?
– Par naturalisation ; son pays d'origine serait la Roumanie.

Un moment de silence nous unit davantage que toutes les blablateries envisageables. En fait nous sommes deux flics provisoirement liés par un même problème plus ou moins bien posé. Des chiens de chasse, tu piges ?

Le chauffeur demande s'il peut allumer une cigarette. Ramirez, bon prince, lui accorde cette permission.

Puis il consulte sa montre.

– Je pense qu'il est inutile que nous nous attardions, fait-il ; d'autant que l'individu est sous surveillance et que ses moindres faits et gestes me sont rapportés. S'il manifestait l'intention de quitter l'Uruguay, il serait intercepté sous n'importe quel prétexte et j'en serais immédiatement informé.

– C'est vous qui décidez ! dis-je avec un enjouement qui lui plaît.

Il pose sa main de poulet manucuré sur ma manche d'alpaga.

– Si c'est moi qui décide, je vous emmène dîner à la maison. Ma femme réussit le *churisca* comme personne. Il faut dire que son père était l'un des meilleurs restaurateurs de Montevideo ; elle a été à bonne école !

– J'accepterai avec joie, lieutenant, à condition que vous veuilliez bien m'arrêter auparavant chez un fleuriste, car en France il n'est pas question de se présenter sans fleurs chez une maîtresse de maison.

Il m'a arrêté devant la plus sublime boutique de la ville. Je ne connaissais pas les noms de la plupart des merveilles qui approfusaient en ce lieu embaumé. J'ai commandé une « présentation » telle que Marilyn Monroe n'en reçut jamais. Pendant qu'on me préparait de quoi fleurir tout l'Élysée un jour de réception de la couine d'Angleterre, j'aperçus, à travers la vitrine, Ramirez qui téléphonait à sa gerce pour prévenir de notre arrivée.

CAPITULO CINCO

Mon nouvel aminche habitait une délicieuse villa immaculée, entourée d'un jardin dont les fleurs étaient tellement abondantes et pimpantes que je me sentis sous-con avec ma gerbe à grand spectacle dans les bras. J'avais l'air du gonzier apportant les végétaux de la victoire à une *tenniswoman* venant de remporter des internationaux.

Une bonniche au pedigree évasif vint ouvrir. A première vue, on ne pouvait déterminer la nature de son métissage. Très brune et très frisée, le teint olivâtre, la lèvre en rebord de lavabo, elle paraissait être née pour sourire.

J'eus droit à un gazouillis de sa part. Je notai que sa robe de service s'ouvrait sur le devant et que les six dernières boutonnières n'avaient pas été utilisées, ce qui découvrait sa culotte bleu ciel et la sonnette d'alarme de son Tampax.

Le lieutenant l'effaça d'une bourrade galante et m'introduisit dans un salon des plus modernes, meublé en teck clair. Les murs crépis de blanc, les rideaux et les coussins composant un camaïeu de bleus délicats, les peintures d'avant-garde et une profusion de livres reliés faisaient de cette pièce un endroit élégant et chaleureux.

– Asseyez-vous ! me dit Ramirez. Maria del Carmen nous rejoindra un peu plus tard.

Il me proposa un apéritif. Il y en avait quantité sur une table roulante. J'optai pour un Campari-soda. Par les baies donnant sur le jardin, je découvrais, au-delà de celui-ci, les lumières de Montevideo et l'étendue sombre du Rio de la Plata, à gauche, qui allait se fondre dans l'Atlantique. C'était insolite et très beau.

Les loupiotes du livinge, disposées avec art, mettaient des zones de clarté sur les objets intéressants, laissant d'habiles pénombres partout ailleurs.

En considérant cet intérieur de qualité, je me dis qu'en Amérique du Sud, le métier de poulardin doit être beaucoup plus lucratif qu'en Europe ; mais peut-être que Ramirez avait hérité d'un oncle d'Amérique du Nord ?

Nous bûmes en devisant boulot. Mon confrère se montrait curieux de nos méthodes. C'était décidément un garçon d'avenir qui irait loin.

A un certain moment, comme disent les grands écrivains soucieux de précision, il cessa de parler, regarda vers le fond de la pièce et se dressa kif si le président de la République venait d'entrer. Je me retournis et me levis à mon tour, hébété de surprise.

Moi, l'épouse d'un flic uruguayen, je me figurais une dondon boursouflée. Le genre de gerce, quand tu appuies ton doigt sur sa cuisse, ça laisse un trou blanc pendant quelques secondes. Je la voyais un brin barbue, la dame, avec des grains de mocheté plus gros que des framboises, et de même couleur. Des bajoues, ça compte-z-y, du nichemard de cartomancienne atteinte de plein fouet par la ménopause. Je lui garantissais un regard de vache, frangé de longs cils englués de khôl comme des pattes de mouches enlisées dans le papier collant. Et puis d'autres fantaisies, je subodorais : ça allait du strabisme divergent à la plaie variqueuse, de la tache de vin sur le cou à l'odeur de culotte rance. Nous autres, les imaginatifs, on ne se contente pas des laideurs dont la vie nous cerne. On en rajoute, en invente d'atroces ; on a sans cesse des calamités au four en cas de besoin ; on n'est jamais pris à la dépourvance par les coups foireux, à force d'en concevoir de très pires.

Mais là, alors, j'ai été eu.

Suis resté tel un homard sur un lit de varech à l'étal du poissonnier. Tout ce que je pouvais faire, c'était remuer les yeux, encaisser les coups de boutoir féroces de mon guignol, et ceux, plus réservés, de mon chibre qui ne savait plus ce qu'il lui arrivait. Je veux pas plonger dans l'excès, foncer à outrance dans le lyrisme, mais sache une bonne chose, l'aminche : ça devait faire des années que je ne m'étais pas trouvé en présence d'une femme pareille ; peut-être même que j'en avais encore jamais rencontré.

Pour tenter de te faire piger : cette personne était si magistrale qu'elle me procurait une impression de souffrance... Oui, j'ose le clamer haut et fort, ça me faisait mal de la regarder. Quelqu'un m'aurait posé la colle suivante : « Où se trouve la plus belle gonzesse de la Création ? » J'aurais hésité entre la Russie, l'Amérique, la Scandinavie, voire, pourquoi pas, le Cachemire. Tu m'aurais découpé les testicules en fines lanières pour confectionner un sac à dos avant que je finisse par répondre « l'Uruguay. » C'est un patelin si improbable, si inimportant sur la carte, si facile à enjamber... Qu'à peine il est connu des joueurs de scrabble à cause de ses trois « u ». Eh ben, elle créchait là, la sublime d'entre les sublimes. Dans la banlieue chicos de Montevideo, mariée à un poulet dont il était impossible désormais que je ne devinsse pas l'ami d'enfance, le confident, le bienfaiteur, le Père Noël. Cet homme, il aurait eu besoin d'une couille supplémentaire pour la baiser, je lui aurais volontiers fait transplanter l'une des miennes : la droite, tiens, qui est la plus belle, la mieux ovalisée. Désormais, il existera quelque chose entre Ramirez y Ramirez y Ramirez et moi, ou plus exactement quelqu'un : son épouse.

Te la décrire ?

Minute ! Bouscule pas le mataf ! Laisse-moi accumuler mes adjectifs qualificatifs, mes épithètes, adverbes, le chenil complet. Faut que je prende mon temps pour rassembler les morceaux de puzzle, tellement qu'on arrive mal à la capter entièrement, d'un bloc. Un gendarme pourrait risquer les éléments d'un présignalement. Il irait à l'essentiel : taille, mensurations, couleur d'yeux...

Ma pomme, c'est le superflu qui m'accapare d'entrée. Les nichebabes en calotte de chanoine, bien moulés, bien fermes. La taille délicieusement étranglée. Les jambes allongées, duveteuses. Naninana. Bouge pas, Eloi, tous les clichetons, je vais te les sortir. C'est imparable, circuit obligatoire : les fines attaches, les muscles délicats, la carnation de la peau, la forme sculpturale du michier, le cou allongé, le renflement du chaglatin enveloppé de poils d'emballage.

Elle est châtain foncé, à reflets un tantisoit cuivrés. Porte un bustier noir qui la dégage à partir de l'estomac. Son ventre plat, dénudé, avec l'œil malin de Caïn bien au centre, me détrancane la zifolette ravageuse. Comme je lui placerais volontiers une pointe de langue lubrifiante dans cette cavité, horrible cicatrice chez les uns, puits de volupté chez les autres ! Plus bas, elle est peu vêtue d'une jupe ras-la-touffe qu'on dirait peinte sur son corps tant elle est ajustée.

Continuons la visite orgasmenisée. Les cuisses que vous voyez là, méhames-messieurs, sont les plus belles du *world*. Admirez leur longilignité, la couleur miraculeuse, doucement ambrée, les imperceptibles veines pareilles à celles qui font la richesse de certains marbres rares. Vous savez tous combien c'est tocasson un genou ? Or, regardez ceux-ci, connasses et cons : si parfaits ! Un sculpteur grec de l'Antiquité aurait accepté de ne plus se faire sodomiser pour parvenir à les reproduire ! Et les mollets ? Vous avez vu les mollets, bande de nœuds coulants ? Vous pouvez continuer votre cancrelate trajectoire après avoir maté des apothéoses de ce tonneau, dites, les pignoufs ?

Moi, j'en meurs d'une aussi totale réussite. C'est pas le résultat obtenu par un gazier d'ici qui a trempé le panoche dans le pot d'une mégère uruguayenne. Impossible ! Y a eu miracle. Intervention divine ! Je laisse libre cours à toutes les supposances !

Mais le plus tout, le plus trop : c'est son regard ! Charogne ! A peine tentes-tu d'en définir la teinte que celle-ci a déjà viré. Tu pensais mauve, et puis les voici bleus, mais non pas bleus : gris à chatoyance gorge-de-pigeon. Qu'est-ce que j'élucubre ! Ils sont champagne ! Champagne, ça ? Émeraude, veux-tu dire ! T'en perds ton latin, ta palette, ta raison ! La vérité, c'est que ces lotos ont toutes les couleurs qui existent en ce monde (rouge excepté). Ils restent en constante transformation. C'est à te rendre dingue.

J'entends, comme si j'avais la tête entre ses cuisses, la voix de l'époux :

– Je te présente l'un de mes confrères les plus importants de France, le *señor* San-Antonio, de Parisi !

Puis, à ma pomme :

– Cher ami, voici Maria del Carmen, ma femme.

Ta femme, salaud, cette chose unique au monde ? Ta femme, crâne flasque, cette déesse qui justifie la création de notre planète ? Ta femme, chancre mou, ce sortilège qui va m'empêcher de vivre une existence normale dorénavant ? Ta femme, branlette inaboutie, cette miraculade, pour un seul sourire de laquelle je serais capable d'embroquer le prince Charles s'il fallait en passer par là ? Ta femme, oses-tu prétendre, puanteur de tous les anus de la Goutte-d'Or rassemblés ?

Non, monsieur : MA femme, désormais ! Tu ne te figures pas que je vais la laisser dormir dans ta couche qui fouette la sueur de flic et le petit haricot noir pété, dis, furoncle verdâtre ? Et d'abord de quel droit as-tu épousé une merveille à moi destinée depuis que le premier dinosaure est apparu sur cette terre ? Va falloir me rendre des comptes, mon babouin. On ne vole pas une telle déesse à Santonio sans que le pire ne t'arrive. Comment ? C'est quoi, le pire ? On va y réfléchir, tumeur maligne ! Fond de calbute de clodo russe ! Pertes blanches de guenon syphilitique ! Fais-moi confiance, je trouverai. Un châtiment de toute rareté. Fleur de coing ! Qu'aura encore jamais servi. Ce sera une grande première et une grande dernière en même temps. Je te ferai rentrer dans les roustons chaque giclette de foutre dont tu l'as déshonorée.

Et, pensant cela, je m'entends dire d'une voix stricte :

– Je vous présente mes hommages, madame. Pardonnez-moi d'arriver chez vous à l'improviste : la faute en est à mon honoré confrère. Cela dit, le plaisir que j'éprouve à vous connaître l'un et l'autre...

Fumier, va ! Hypocrite !

Je suis laguche, à faire le mondain, alors que, dans la soute de mon bénoche, un missile carabiné est en train de se placer tout seul sur sa rampe de lancement.

Repas charmant et délicieux. Je ne sais si c'est l'ancillaire qui l'a fricoté, mais je ne crois pas. Faut de la subtilité pour préparer des mets aussi attrayants. Il va s'en dire (ou sans dire) que la tortore est devenue le cadet de mes soucis. Je n'ai d'yeux et d'oreilles que pour cette femme jetée dans mon destin comme une météorite.

Elle s'adresse à moi en anglais après s'être excusée de ne pas parler le français. Je me dis que j'aurai toute la vie pour le lui apprendre. Elle m'interroge sur Paris, naturellement, et ses questions ne sont pas puériles. De toute évidence, ce grand branleur de

Ramirez n'en peut plus d'avoir marié une fille de ce format. Elle constitue sa victoire sur la vie. Jamais il n'obtiendra davantage de l'existence, quand bien même le cartel de la drogue lui filerait des enveloppes rebondies comme le ventre du Gros.

Nous dînons en devisant. Le lieutenant est allé chercher deux bouteilles de rouge du pays. Il est très fier de son picrate et me demande si je le trouve digne des vins français. Le moyen de ne pas répondre par l'affirmative à un garçon qui possède une femme pareille !

A mesure que le repas s'avance, je sens poindre en moi une indicible détresse à l'idée qu'il va falloir abandonner Maria del Carmen à son foyer. J'échafaude un dîner en ville pour le lendemain. Car j'ai besoin de la retrouver le plus rapidement possible. Mais ensuite, hein, gros malin ? Ensuite ? On ne va pas pouvoir se fréquenter tous les jours. Une sombre amertume me gagne. Ça ressemble déjà au désespoir. Ah ! que la vie est tourmentante !

Sonnerie du biniou. Mon hôte s'excuse et va répondre. Le coup de grelot est assez bref. L'homme revient en bougonnant.

– Vous allez devoir me pardonner, *señor*, mais il faut que je me rende d'urgence à l'hôtel de police. Des inspecteurs de mon service viennent d'appréhender des touristes qui tentaient de passer de la drogue à la douane de l'aéroport ; les quantités sont importantes.

– Je vais partir avec vous, dis-je, vous n'aurez qu'à me jeter à une station de taxis.

Il récrie haut et fort comme quoi je ne vais pas déserter sa table au milieu du repas. Nous n'aurons qu'à finir de manger, son épouse et moi. Il va faire au plus vite, de façon à pouvoir être de retour pour les alcools.

Étant d'un tempérament docile, parfois, je me laisse convaincre.

CAPITULO SEIS

Étrange silence que celui qui succède au départ brusqué du lieutenant Ramirez. Cela fait kif dans une manifestation quand la sono tombe en panne. De nous retrouver soudainement en tête à tête (je préférerais en tête à queue) nous emberlificote de timidité. Nos mandibules courent sur leur erre. Nos regards dérapent. Je voudrais lui parler, lui débiter ces banalités bien commodes auxquelles on se raccroche dans ces troublantes circonstances. Qu'on cause du temps, de l'Uruguay, de son intérieur si élégant. Et où c'est-y qu'ils ont dégauchi ces peintures intéressantes ? Elles me font un peu penser à celles qu'on vend dans le quartier de La Boca à Buenos Aires.

Je pourrais y aller dans ce genre de converse. Mais non : il fait un blocage, ton pote. Les seuls mots qui lui viennent sont d'amour. Et tu me vois débiter la grande tirade des amants à cette jeune femme, épouse de flic, plus ou moins dominée par l'époux, les traditions, tout un micmac de chiasse ? Elle ne saurait pas ce qui lui déboule, Maria del Carmen. Me prendrait pour un satyre. Se sauverait dans ses appartes pour s'y barricader.

Pourtant, on ne va pas rester comme ça, à mastiquer à blanc jusqu'à la Saint-Trouduc, qui est le jour de ta fête, crois-je deviner. Dans ces cas délicats, je me remémore un vieux film rigolo contant les aventures d'un pleutre sans cesse confronté à des dangers et qui s'exhortait au courage en se posant sempiternellement cette question : « Es-tu un homme ou une souris ? » Je la prends à mon compte : « Suis-je un homme ou une souris ? » « Un homme », réponds-tu ? Alors fonce, tête à claques !

Je m'entends dire :

– Nous sommes intimidés de nous retrouver seuls, madame Ramirez. Nous ne nous connaissons pas et éprouvons une gêne presque enfantine.

Elle me regarde, sourit. Tiens, ses yeux sont jaunes, piquetés de points verts à cet instant...

– Vous deviez croire les Français plus hardis ? demandé-je.

Expression neutre de mon hôtesse qui me rappelle une réplique marseillaise : « Nous, les gens de Tourcoing, on n'en cause même pas ! » Toujours ce complexe du matamore tricolore qui s'imagine être la préoccupation dominante des autres pensionnaires de la planète Terre.

Bon, et maintenant, je vais lui sortir quoi ? Qu'elle est belle à s'en arracher les pendeloques avec les dents ? Que je serais capable de faire toucher les deux épaules à un rouleau compresseur pour pouvoir lécher sa chatte ? D'autres bidules encore plus poétiques et passionnés ?

J'ai eu une période où je chargeais les frangines « paf au clair », avec un seul objectif en tête (de nœud) : en caramboler le plus possible et me régaler le zifolo charnel à outrance. Puis j'ai eu un truc dans ma vie, je m'en aperçois bien : Marie-Marie, ma petite fiancée de toujours. J'avais réussi ce prodige dont rêvent tous les matous : me faire aimer passionnément d'une fillette. Devenir « l'homme de sa vie, pour toute sa vie ». Il fallait l'épouser. Vivre cet amour éternel envers et contre tout. Là, oui, c'était un vrai roman.

Tu saisis ou veux-tu que je stoppe là mes confidenceries ? Mais j'ai enflammé toutes mes allumettes sans bouter un vrai feu. J'étais trop l'homme de l'Aventure ; pire encore, celui DES aventures. Qui trop embrasse... J'ai laissé péricliter le plus bel amour qui pouvait m'être offert. Et voilà : c'est foutu. On a essayé de sauver les meubles, de replâtrer des sentiments très beaux, mais en pure perte. Mes souvenirs, c'est pas l'histoire d'un paf, mais l'histoire d'un con. D'un pauvre con. A la communale, déjà, fallait que je fasse mon numéro. J'avais besoin de séduire, besoin qu'on m'applaudisse. L'existence m'a laissé sur le devant de la scène, avec mon nez qui s'allume et mes facéties de clown. Marie-Marie s'est éloignée sur la poine des pieds. Et me revoici seul avec ma Félicie vieillissante, mes utopies, mon paf rutilant. Sans cesse à la recherche d'un cul à fourrer, à me persuader, par instants, quand je sens du vide à combler, que je viens de trouver la femme exceptionnelle, que je vais l'emmener sur mon palefroi, dans un pays encore inconnu, où le temps s'arrête, où la passion ne s'use pas et où l'avenir n'est plus qu'un présent qui s'éternise.

Depuis un moment, elle me considère à la dérobée, mais avec intérêt, Maria del Carmen. Je sens qu'elle souhaiterait me poser une question et n'ose le faire.

Je tente de lui sourire, me gave de son beau visage au regard impossible à fixer, de sa chair entre le boléro et la minijupe.

– Mélancolique ? elle murmure.

Ça se voit donc ? J'ai un geste pour toucher mes yeux, que je retiens in extremis. Où ça va, ça !

– Pardonnez-moi, dis-je précipitamment.

Mais les gonzesses n'aiment pas qu'on élude leurs questions intéressantes. Elle insiste :

– Malheureux ?

– Pas ce soir ; demain, je lui réponds.

– Pourquoi, demain ?

Vas-y, mon Sana, joue ta partition : tu en meurs d'envie !

Alors, ma pomme, plus triste que Chopin, plus romantique que Werther :

– Parce que demain je ne vous verrai plus...

Voilà, c'est parti en port payé ; ne me reste qu'à lui souhaiter bonne réception du message.

Nous avions une domestique, autrefois, à la maison : une Bretonne. Fallait toujours qu'elle laisse la porte des gogues ouverte. Ça devait la rassurer, je suppose ? M'man avait beau lui en faire le reproche, elle pouvait pas vivre sans la vision d'une lunette de tartisses et d'une chasse d'eau. Quand on avait fermé, elle disait rien, feignait de se soumettre, mais sitôt qu'on tournait le dos, elle s'empressait de déponner la lourde. La vue du rouleau de faf à train et de la gentille balayette dans son pot de faïence lui était devenue indispensable. Chacun puise sa sécurité où il peut.

Pourquoi pensé-je à Yvette, à cet instant si peu propice ?

Ma petite phrase équivoque jetée, j'ose plus regarder mon hôtesse. Comment prend-elle mon numéro à fendre l'âme ? Il doit pas se pratiquer beaucoup dans ce bled où le sang est chaud.

Sa douce voix, endommagée par l'anglais dont elle use :

– Vous prendrez du fromage, sir ?

La dérision, non ? T'es là à lui interpréter du Musset et elle te répond frometon.

– Non, merci, madame Ramirez.

Elle actionne le timbre d'appel, aux sonorités fêlées.

La servante vient débarrasser nos assiettes et nos couverts.

L'épouse du lieutenant de police m'annonce un dessert exécuté avec de l'ananas cuit dans une pâte et nappé de crème alcoolisée.

Je lui exprime la joie dans laquelle me plonge une telle perspective.

Et nous voici sur la terrasse, dans le crépuscule velouté. Les « dames de la nuit » dégagent leur parfum ensorcelant. Au loin, la mer est frangée d'écume, ce qui est bien joli. Parfois, une brise... La brise, c'est le rêve du vent, comme a dit un grand poète (je crois que c'est ma pomme, d'ailleurs).

Nous sommes assis face à l'horizon, Maria del Carmen et moi, presque côte à côte. Le besoin incoercible (tiens, en voilà un mot qu'est pas à la portée de n'importe quel écrivaillon !) de lui saisir la main pour la porter à mes lèvres et, tout de suite après, de sucer chacun de ses doigts, me taraude. Peut-être qu'un jour le désir ne me hantera plus ; je serai devenu un corps insensible et seuls mes propres frémissements m'intéresseront encore. Ah ! qu'une telle infortune ne me frappe jamais, de grâce !

Je cherche un truc bien tourné à dire, assez cucul-la-praline pour s'adapter à la magie du moment.

Je soupire :

– L'instant est féerique.

Pas mal, hé ? Je connais au moins douze valets de ferme, un balayeur de rue et trois maçons portugais qui seraient incapables de débiter ça à une gerce.

Juste comme j'avance ma dextre, elle se lève.

– Je dois vous faire goûter une liqueur que je confectionne et dont je suis très fière.

Elle s'absente et revient avec une petite carafe en verre ciselé contenant un liquide de couleur orangée.

– Un seul verre ? m'étonné-je.

– Je ne supporte pas l'alcool.

Elle me sert avec grâce. J'en profite pour caresser sa main autour du flacon. Elle a un exquis et farouche sourire. Mon corps s'embrase. Je me dis que je lui signerais une délégation sur la totalité de mes droits d'auteur si elle consentait à ce que je l'investisse. Il ne peut rien y avoir de plus délectable en ce monde. Je sais parfaitement de quelle manière voluptueuse je l'entreprendrais : elle, allongée en travers d'un plumard, moi, agenouillé devant sa case-trésor, l'effleurant doucement de mes lèvres, ce, pendant un temps infini, avant de déléguer ma menteuse caméléonesque pour une prise de contact d'une suavité forcenée.

– Comment trouvez-vous ce breuvage ? elle chuchote avec une voix de petite fille modèle recevant les félicitations du jury chargé de désigner la plus jolie chattoune de la promotion.

– Je bois le ciel ! réponds-je en dégustant de plus rechef.

Et, ne pouvant me contenir, j'ajoute :

– Ah ! que votre sexe me serve de coupe pour absorber ce philtre d'amour !

Un peu hardi, hein, tu ne trouves pas ? Je vais à la cata ou, au contraire, à la victoire ?

Elle me moufte pas. Par contre, elle me verse un deuxième gorgeon. Je laisse aller. D'abord parce que j'aime le doux, tu le sais, ensuite parce que cet alcool me libère... *Adios*, mon blocage. Pour un peu je sortirais mon rouge-gorge de sa cage pour lui démarrer une saynète genre Guignol.

– Sublime femme, lui assuré-je d'une voix qui ferait fondre la moitié de l'Antarctique, n'avez-vous pas compris l'impétuosité du désir que vous m'inspirez ? La vigueur de mon sentiment est à ce point intense que je pourrais vous prendre des jours durant par toutes les voies d'accès que votre créateur vous a données. Je vous ferais l'amour comme jamais aucun homme ne le fit à une femme depuis que ce salaud de Caïn a trucidé ce lavedu d'Abel. Nous nous abîmerions alors dans la plus totale félicité et Dieu retiendrait l'aube pour qu'elle ne vînt pas troubler notre infini bonheur.

« Viens ! supplié-je. Viens, l'heure est charmeuse. Viens, toi si frileuse, te blottir dans mes bras. »

– Ne brusquez rien, chuchote la divine en rapprochant sa chaise de ma queue.

Qu'est-ce que tu veux que je ne brusque rien [1] avec une mandragore plus grosse qu'un pianiste bavarois ? A croire qu'un baobab vient de pousser dans mon bénouze.

J'essaie d'une main tombée ; elle s'en saisit au vol. Y vais de l'autre, qui se heurte à sa jupe moulante plus tendue que la peau d'une aubergine. Veux lui prendre un baiser ; elle serre les lèvres.

Changeant de tactique, j'abaisse sa menotte là que je protubère inouïsement. Elle ne peut pas passer à côté d'une évidence de cette dimension ! J'en sais quelques milliards, rien que dans l'hémisphère Nord, qui se l'empaquetteraient pour l'hiver.

Là, elle marque un temps. Y va même d'une pression légère pour édifier son sens tactile. Mais parvient à retirer sa dextre de la zone de perdition.

– Par pitié, chuchote-t-elle, montrez-vous gentleman. Vous me plaisez certes infiniment, mais comprenez-le, je ne suis pas une femme capable de céder à un homme qu'elle connaît à peine.

Moi, chevaleresque de partout :

1. Tournure de phrase que j'aménagerai pour entrer à l'Académie.

– Vous me promettez que nous nous reverrons, mon ange adoré ?

– J'en ai autant envie que vous !

O divines paroles ! Musique venue des espaces intersidéraux et qui, d'ailleurs, me sidère ! Miel de la parole ! Souffle du désir...

Magnanime, je lui fais provisoirement cadeau de sa vertu !

CAPITULO SIETE

De ce qui suit alors, ma mémoire enrubannée d'extase ne conserve qu'une très vague notion.

On parle, et puis on cause. Il nous arrive même de discuter. Elle m'apprend des choses sur elle, veut en savoir sur moi. Logique. Tous les amants, à leur début de roman, ne doivent-ils pas en passer par là ? Je lui raconte ma vie parisienne, sans le concours d'Offenbach. Pour elle, c'est Montevideo, les week-ends à la plantation de son papa, du côté de Trinidad.

Je suis ivre de bonheur, de son breuvage également, dont elle me sert abondamment, trempant ses lèvres pulpeuses dans mon verre avant de me le tendre ; rite plein d'une signification voluptueuse, tu n'en disconviendras pas, sinon je te flanque ma main sur la gueule et tu l'auras bien cherché !

Bref, le temps s'en va, je demeure. Le charme discret de l'instant finit par avoir raison de mon érection, peu compatible avec un début de liaison classée platonique.

Et puis, ce qui devait arriver arrive : en l'occurrence l'époux. Mais qu'ont donc ces tristes cornards à vouloir rentrer chez eux, alors qu'ils y sont si trublions ? Qu'est-ce qui leur permet de surviendre à l'improviste, quand tu as leur gerce bien en main, roucoulante et fondante ? Y a plus moyen d'être chez eux, quoi !

Ça me rappelle mes débuts amoureux. Je tirais la femme d'un mec que j'aimais et admirais au-delà du possible. N'étant pas homo, j'avais trouvé cet élégant moyen de me rapprocher de lui un max, charnellement. Un jour, il s'est pointé à l'improviste, pendant que je calçais sa doudoune. Heureusement, craintif de nature, je la pinais tout habillé. Les amours de qui-vive sont les plus exaltantes. Quand il est entré, mon pote, on était « corrects » dans la mise, mais si chavirés, si essoufflés, si bredouilleurs du regard, qu'il a pigé.

Il a rien dit, mais je reverrai toujours l'assombrissement de ses yeux et cet air si totalement désenchanté que ça m'en a fait mal à crever... J'aurais voulu foutre des gnons à sa morue dont l'immense babasse spongieuse me filait la nausée. Je n'éprouvais rien d'autre pour elle que la tendresse qui me liait à son mari.

A vrai dire, elle me dégoûtait, avec sa viande pâle et molle. Juste elle suçait royalement. Elle représentait mes premières pipes, Gervaise. Ses grosses lèvres humides t'engloutissaient la membrure avec une douceur appliquée. Sa technique était basée sur la lenteur. Même quand, en fin de parcours, tu lui suppliais d'aller plus vite, elle refusait d'accélérer, te faisait languir. C'en devenait follement douloureux ; seulement fallait voir la libération que ça te provoquait ! Oh ! charogne ! Ce lâcher de ballons ! J'en avais pour au moins cinq minutes à braire comme un âne, moi qui ai toujours fait montre d'une certaine retenue. Avec elle, c'était des partances à n'en plus finir, qu'à chaque fois tu croyais sans retour. Sûrement que c'est ce qui le séduisait, mon aminche.

Dans le fond, cette exquise personne devait pas pouvoir choper son *foot*. T'as des rameuses comme ça, qui t'essorent un gonzier en grande pompe mais qui, pour le fade, font tintin. Elles ont une sorte d'empêchement, en ce qui les concerne. Un blocage. Leur panard consiste à le faire prendre à l'homme. Elles ont l'obligation de réserve pour elles-mêmes. Peut-être que, d'une certaine manière, elles éprouvent un plaisir plus cérébral, donc plus intense ?

Je te disais : « l'Avantageux » a rejoint sa belle base capiteuse. L'avait l'air fatigué. J'ai cru remarquer une trace de foutre sur sa braguette. Souvent, les flics, les journalistes, ont des « points de chute » permanents. Des souris fastoches chez lesquelles ils peuvent débouler à toute heure de la nuit et du jour pour une embrocation vite-fait-sur-le-gaz. Ça vient de nos métiers de chien qui nous font vivre différemment. Un brusque besoin de piner nous agresse ; le plus sage est de s'en libérer rapidement. Alors on a une collection de petites mères de bon accueil qui t'acceptent au débotté, pour une urgence. Vidage de couilles express, sans histoire ni trompette. En amis, tu piges ? Pas besoin de littérature annexe. Un bon coup dans les miches ! Violent, la plupart du temps, parce que imposé par l'impétuosité de la chair. Beaucoup de dadames adorent ça : la pause chibrée. De même qu'il existe des pharmacies de nuit, nous possédons nos baiseuses nocturnes. Un coup de fil pour s'annoncer : « Ici Gaston, j'ai les amygdales enflées, je peux venir ? ». « Non, j'ai mes ragnasses, à moins qu'une turlute te suffise ? » Y a des aspects de la vie sexuelle que la plupart des bonnes gens ignoreront toujours. C'est sympa.

Et alors, le grand lieutenant s'est pointé avec ses yeux soulignés trois fois et sa tache de foutre pareille à une estampille. S'est excusé : ça s'était prolongé, avec les trafiquants.

Tu parles ! Surtout s'il s'était fait mettre un doigt dans l'oigne et lécher les aumônières par un fox-terrier à poil dur.

J'ai pris congé rapidos, alléguant la fatigue du voyage.

Il tenait à me raccompagner, mais j'ai insisté pour qu'on m'appelle un taxoche. Je leur ai lancé une invitation au restau de mon hôtel pour le lendemain soir, mais Ramirez y Ramirez y Ramirez avait un empêchement et on a remis ça au surlendemain.

*
* *

Le *driver* me réveille car je m'étais écroulé comme une fausse souche dans sa Santana Diego, voiture uruguayenne qui a la particularité d'être montée en Argentine sous licence allemande. Les loupiotes de mon hôtel achèvent de me lucidifier. Je biche ma carouble et grimpe me pager.

Parvenu à mon étage, je suis troublé par des cris, des vagissements plus exactement, qui font bander les clients habitant ce niveau. Intuitivement, je décide qu'ils proviennent de la chambre du Gros et m'y rends d'un pas blasé. La clé est sur la serrure. J'entrouvre de manière à pouvoir être renseigné.

Le suis.

Rien de bien sensationnel au demeurant, si ce n'est que le Mammouth vient de sodomiser la gente agente britannique Pamela Right. Incident technique auquel des années de fréquentation m'ont habitué : Sa Majesté persévérante est bel et bien arrivée à ses fins, à force d'obstination et de vaseline, mais ne peut plus se retirer de sa conquête. J'ai connu un cas semblable à Bruxelles avec lui, voici quelques années : il avait fallu hospitaliser les amants terribles pour qu'ils puissent réintégrer leurs autonomies respectives. Ne nous trouverions-nous point en présence d'une récidive ? Je crains que si, *señor*.

Plantant là le couple sans avoir été vu, je cours jusqu'à ma chambre proche pour y prendre mon appareil photographique. Tu l'auras noté : dans les pires catas, il se trouve toujours un gonzier muni d'un Nikon afin de flasher l'événement pour *Paris-Match*. Aujourd'hui, c'est bibi qu'aura le scoop.

J'arme mon clic-clac et viens me déchaîner chez le Mastard. La scène mérite d'être immortalisée. La délicieuse petite Anglaise est agenouillée sur le page, presque écartelée. Elle gémit, mord les draps, sanglote, supplie son fâcheux partenaire de ne plus bouger. Alexandre-Benoît feint d'être navré. Il bredouille qu'il est *very sorry*, qu'y faut attend' qu' son panoche rémoulade un peu ; confesse que sa témérité ç'a été de pratiquer la sodomie, puisque sa partenaire avait des empêchements de nature. Un petit œil de bronze commak, jamais il aurait cru y engouffrer une tête de braque qu'a eu fait reculer même des vieillasses au pot défoncé ! Il sait l'à quel point les Anglais sont courageux, mais là, on peut foncièrement causer d'héroïsme. Qu'elle prende patience, surtout. Dès qu'il aura dégodé à fond, ils iront en tandem jusqu'à la salle de *baths*. Une macération prolongée dans la baignoire emplie d'eau chaude bien savonneuse aura raison de cette liaison forcenée qui fait d'eux « les siamois de l'amour ».

Ma pomme, ignominieuse ordure, je passe un rouleau de 36 à immortaliser l'avarie sexuelle du couple. Le Gros, naturellement, me voit à l'œuvre et exulte, brandissant son pouce capable de recouvrir entièrement une pièce de cinq francs suisses.

Ce reportage achevé, je remporte mon petit matériel.

Que faire ?

Aller au secours des amants terribles ?

Ce ne serait pas charitable pour Pamela.

Me coucher ?

La sagesse même. Mais auparavant, je tiens à opérer une petite vérification.

Deux mots d'explication préalables. Mathias m'a offert un appareil enregistreur à peine plus épais qu'une pochette d'allumettes réclame. Je le porte constamment dans la poche supérieure de mon veston. Pour le brancher, il me suffit « d'arranger » la pochette de soie qui le dissimule.

Or, donc, je récupère cet auxiliaire précieux, le rembobine, et enfin le branche, ce qui me permet d'écouter l'enregistrement de ce que nous nous sommes dit, Maria del Carmen et moi, durant l'absence de son époux. Très exactement, depuis le moment où elle m'a fait boire sa fameuse liqueur.

Je te jure que je suis impayable !

CAPITULO OCHO

La question qui me turlubite est la suivante : durant cette période d'intimité, me trouvais-je-t-il dans mon Étretat normal, ou bien subissais-je-t-il une certaine altération de mes fonctions cérébrales ? Ce qui me reste est une impression vaguement brumeuse. Je me rappelle que nous avons parlé, et plutôt tendrement, mais le contenu de notre entretien est comme en devenir dans ma mémoire. Tu sais, les dessins pour premier âge, composés de points qu'il convient d'unir au crayon pour obtenir le motif préfiguré ? Eh bien ça !

Armé d'un Coca-vodka sorti de la petite armoire à biture habituelle, je revis notre tête-à-tête. Effet curieux que de retrouver, une heure plus tard, une scène qui t'a troublé. Un décalage étrange s'opère. D'entendre la voix que tu percevais naguère en direct, avec toute la magie de l'instant, d'analyser ses silences et ses intonations, te plonge dans un élément nouveau qui est, si tu me permets d'user d'un style que je réserve généralement aux ouvrages que je signe Jean-Paul Sartre, *l'inconnu du vécu.* Étrange récupération postérieure de la partie organique de l'abstrait ; j'espère que tu me reçois cinq sur cinq. Je ne peux tout de même pas me cantonner dans un argot inspiré mais désinvolte. Par moments, ma nature profonde regimbe et se réclame de ma culture.

Or donc, suivant le déroulement de la bobine, je vois se développer chez ma terlocutrice une tendance bien nette à vouloir me tirer les vers du nez à propos de « l'affaire » qui m'a amené en Uruguay. Dans la foulée, je ne m'étais pas rendu compte de la chose pour une raison très simple : *j'avais dit la vérité quant à mes motivations.* N'ayant rien caché à Ramirez, je lui parlais de cette histoire en toute bonne foi.

En écoutant mon enregistrement, je constate, primo, que j'ai la voix pâteuse ; deuxio, que la Maria del Carmen cent fois sur l'établi remet son ouvrage, revenant sans cesse sur ce que je sais de Vogel et sur mon « alliance » avec les Rosbifs. Comprenant enfin que je suis franc du collier, elle abandonne le sujet et s'amuse de mes madrigaux. Sans doute la flattent-ils ? Toute femme est sensible aux hommages, comme tout homme l'est à la flagornerie.

A la fin de l'audition, je stoppe mon bitougnet et me mets à réfléchir. Le lieutenant uruguayen est un méticuleux, un flic de devoir qui aime aller au bout des choses. Que son épouse l'y aide est plutôt touchant. Cette superbe créature se révèle femme de devoir ; elle pense à seconder son mari, non à l'encorner. Je regrette pour ma grosse veine bleue, mais ressens, quelque part, une obscure satisfaction à découvrir qu'il existe des frangines fidèles.

Je me sers un second Coca-vodka et attends que les glaçons accomplissent leur mission. Déjà, les parois du verre s'embuent ; heureuses prémices. Est-ce la cuisine épicée de Maria del Carmen, ou bien sa liqueur « neutralisante », toujours est-il que je me trimbale un début de gueule de bois très inconfortable.

Tiens, les plaintes de l'Anglaise ont cessé. Les amants d'un soir seraient-ils parvenus à une heureuse conclusion ?

J'entrouvre ma porte et, pile à cet instant, je les vois quitter la piaule de « L'Éventreur ». La petite Pamela avance comme un compas doté de motricité. Charitable, son chevalier la soutient par les épaules et la convoie jusqu'aux ascenseurs. Dans le silence retrouvé de l'étage, je l'entends lui dire :

– V' voiliez, ma puce, c' dont on parvient à faire av'c d' l'eau chaude et beaucoup d' savon ? J' savais bien qu' j'arriv'rerais à dégoder. Moi, dans ces cas-là, j' pense à des choses tristes : not' vieux chien Bizu qu' j'avais écrabouillé av'c le tracteur, biscotte il était sourdingue comm' un pauv' et n' m'avait point entendu surviende. Ou bien la fois qu' mémé s'est fait engourdir sa pension à la foire d' Saint-Locdu-l'Bas. Y avait des romanos dans la régegion, c'est eux qu'a fait l' coup, probab'. Chez nous, personn' est capab' d' voler un' vieillasse.

« J' marche trop vite ? S'cusez-moive ! Surtout beurrez-vous bien l' fion à la vas'line, ma darlinge, c'te nuit avant d' vous pager et d'main au réveil. Et dites-vous qu'à partir d' doré d' l'avant, vous v'là performante du baigneur, mon p'tit trognon. Chaque fois qu' vous aurez des chican'ries su' l' devant, vot' train arrière répondrerera présent ! Ça n'a pas d' prix, vous verrerez ! Jamais prise au dévolu, chérie. J' sus sûr qu'en Angl'terre c'est pas courant. Chez les mecs, p't'ête, mais pas chez les frangines. Enfin, si on s' rendrerait pas service, d'une nation l'aut', les r'lations plomatiques tourn'raient au caca v' s'êtes d'accord. En somm' si j' voudrerais résumer la situasse : en vous empétardant comm' j' l'aye fait, c'est tout' l'Angl'terre qu' j'aye emplâtrée ! »

Il lui ouvre la porte de l'ascenseur et notre tendre alliée disparaît.

Je lance un léger coup de sifflet qui appartient à nos conventions secrètes, et Messire s'apporte, détendu.

– J'ai vu l' coup qu' j'allais passer la nuit dans ses miches, soupire-t-il en refermant la lourde.

Rapide tour d'horizon pour nous résumer nos activités respectives (et respectables).

Pour deux gonziers qui viennent tout juste de s'apporter en terre sud-américaine, nous n'avons pas perdu notre temps.

– Tu as sommeil ? demandé-je à ma Tête d'hilare.

– Non, biscotte j'ai le paf qui m'cuit, répond-il avec sa loyauté coutumière et inexorable.

– Tu serais partant pour une petite expédition nocturne ?

– *Yes*, sœur ! répond ce loyal ami, gagné si étrangement à la cause britannouille.

– Heureux de te l'entendre dire.

M'empare de l'annuaire des téléphones de Montevideo, l'ouvre sans coup férir aux pages des « R » et, en moins de temps qu'il n'en faut à un redresseur de torts pour transformer un tire-bouchon en tisonnier, dégauchis le numéro que je souhaite.

Le compose.

Ça vibrionne un bon bout de moment. Puis, la voix cruellement endormie de Ramirez émet le grognement d'un ours qui, en pleine hibernation, se fait bouffer les couilles par une marmotte.

– Une montagne d'excuses pour venir gâcher un aussi beau sommeil, lieutenant, lui dis-je, mais comme vous ne l'ignorez plus (et là je place un bel effet de voix), je joue et jouerai toujours franc-jeu avec vous.

Il a du mal à s'arracher aux bras de Morphée, bien qu'il ne soit apparemment pas homo.

Ramirez émet un gargouillis inaudible. J'entends la voix de sa bellissima qui chuchote « Qui c'est ? » en espagnol décadent.

– Je poursuis :

– En allié loyal, je vous informe que je compte profiter de la nuit pour opérer une discrète visite domiciliaire chez notre homme. Me trouvant ici en franc-tireur, je puis me permettre des choses qui vous sont provisoirement impossibles. Je vous ferai part demain du résultat de cette escapade. Mais il serait sans doute bon que vous préveniez de ma venue les hommes de surveillance. O.K. ?

Je vais te dire le fond de ma pensée : Rami, c'est un gars qui comprend vite à condition de lui expliquer lentement. Après que je lui eus rabâché ce discours à plusieurs reprises, il finit par murmurer :

– Entendu.

Et il ajoute avec une nuance d'admiration :

– Vous ne dormez donc jamais ?

– Je m'assoupis seulement quand on me fait boire certaines liqueurs, mon cher ami. Je vous tiendrai au courant de la suite de mes initiatives plus ou moins licites. Mes hommages tardifs à votre merveilleuse épouse ; elle est si belle que vous ne devriez pas la tromper.

Je raccroche sur ce conseil très peu sibyllin. Je te parie le carré de l'hypoténuse contre la somme des carrés des deux autres côtés, qu'il n'est pas prêt de se rendormir, le fringant lieutenant.

Juste qu'on sort de l'hôtel, un bahut vient y décharger quelques touristes allumés (mais près de s'éteindre). Nous l'affrétons aussi sec et l'exquis métis qui le conduit nous emporte vers la grande maison moderne où il ne doit pas être désagréable « d'enfiler le parfait amour », selon Alexandre-Benoît, l'homme au membre endolori.

Silence et presque obscurité, car une lanterne extérieure répand une lumière magrittienne près de l'entrée. Je congédie le gonzier qui a cru bon de troquer son tomahawk ancestral contre le volant d'une Ford. Des lucioles farandolent. Là comme ailleurs, « les dames de la nuit » mettent le pacsif pour t'émouvoir les fosses nasales.

On mate la construction, on écoute. C'est le calme sépulcral. La voiture qui naguère était au parking fleuri est absente.

Le Gros grommelle son leitmotiv habituel :

– Et maint'nant ? On s' fait cuire un œuf ou on s' lave les pieds ?

En réponse, j'actionne le timbre de l'entrée. On l'entend ronfler à l'intérieur. Alors, comme rien ne s'opère, je m'exprime au moyen de l'ami sésame. Je titille à peine, trifouille fort peu. La serrure, intimidée, cède à mes instances.

Go in !

Un immense living que le clair de lune nous révèle discrètement. Des meubles de la Renaissance espanche, des reproductions de toiles universelles : Picasso, Braque, Dufy.

Dans un recoin tendu d'indienne, un énorme téléviseur fait face à un canapé deux places gonflé de coussins avachis. Il est flanqué d'un bar sur roulettes où les whiskies dominent. Il est probable que le locataire passe beaucoup de temps à regarder les programmes sud-américains.

– Fais le pet ! enjoins-je au Mammouth.

Cette expression signifie « fais le guet », mais il la prend au pied de la flatulence et ne perd pas l'occasion de m'interpréter un solo de tuba-soissons.

Je le laisse s'embaumer seul et me hâte de monter à l'étage, lequel, comme disait une académicienne du Fémina, n'est séparé du rez-de-chaussée que par un escalier.

Ces grandes habitations futuristes ont une caractéristique commune : leur petit nombre de pièces. Les architectes pour riches ont le génie de la place perdue. Ainsi, dans le cas présent, la chambre de maître à elle seule fournirait un superbe apparte pour une famille de quinze personnes.

Alcôve envoûtante au lit large comme une place de marché aux bestiaux, coin télé, coin gymnique, coin bibliothèque, coin repas, recoins multiples. Et coin bureau. Des marches de marbre conduisent à une baignoire surélevée, isolée de la pièce par des parois de verre. J'entreprends une exploration méthodique de cet endroit singulier, plutôt plaisant pour peu qu'on y vive à deux. Mais seul, on doit s'y sentir paumé, surtout quand, comme mégnace, on crèche dans un pavillon en meulière.

Je cherche les indices d'une présence féminine, même occasionnelle, et n'en trouve pas. Curieux mec qui reste solitaire dans cette construction à grand spectacle. Il a raison de partir en java, la nuit, sinon, malgré la beauté du site, il deviendrait vite neuneu.

Après mon examen d'ensemble, je me livre à des recherches plus minutieuses. T'en donne en vrac les résultats. Dans la table de chevet, je trouve un petit vaporisateur de poche contenant un gaz anti-agression. Sous le traversin, il y a un magnifique riboustin chromé, de calibre 9 mm, capable de transformer une peau de rhinocéros en bande pour limonaire. Dans la partie salle de bains, je découvre, sur la tablette du lavabo, un pot de porcelaine empli de poivre moulu, denrée efficace quand tu en virgules une poignée dans les falots d'un vilain. Sous la table à petit déjeuner, voici une sorte de dague à la lame effilée longue de vingt-cinq centimètres.

Mon inspection se poursuit et me permet de constater que cette taule, mine de rien, est équipée pour parer à des visites malintentionnées. Une vraie place forte, dans son genre. A se demander comment son locataire ose sortir sans garde prétorienne et dans autre chose qu'un char d'assaut.

Mais je ne suis pas au bout de mes surprises, comme on dit puis dans les livres à suspense du siècle dernier. Lorsque j'investigue le dressinge-roume et que j'ouvre la porte de la penderie, je me trouve nez-à-nez avec une photographie 13 × 18 punaisée contre la partie intérieure d'icelle. En découvrant ce portrait, les bras et la bite m'en tombent.

Car je connais l'homme qu'il représente.

Un type doté d'une assez belle gueule, ma foi. Je le classerais sans hésiter parmi les mecs séduisants, tu vois ? Le regard est profond, volontaire, enjôleur. La bouche sensuelle. Elle découvre une denture qui bouffe la vie et les chaglattes voracement. Ce qui éclaire surtout cette figure agréable, c'est la grande intelligence qui s'y lit.

Mais à quoi bon te faire languir davantage ?

Ce portrait, tenez-vous bien, amis lecteurs et trices, ce portrait C'EST LE MIEN !

CAPITULO NUEVE

A l'incrédulité succède la stupeur.

A la stupeur, l'effarement.

Tout autre que moi en pisserait dans son froc. Heureusement, et jusqu'à preuve du contraire, mes sphincters sont à toute épreuve. Donc, pas d'incontinence à déplorer. Mes testicules demeurent au sec.

Ayant quelque peu recouvré mon calme, donc ma lucidité, j'entreprends « d'explorer » la photo pour tâcher de déterminer où et quand elle fut prise. Elle me représente en plan moyen. Je suis coupé à la ceinture. La position de mes bras indique que j'étais en mouvement quand on m'a flashé. Pourtant ce n'est pas une attitude de marcheur.

Je me consacre à l'arrière-plan de ce cliché. A première vue, il semblerait qu'on m'ait photographié sur fond de ciel. A y regarder attentivement, ce n'est qu'en partie vrai. S'il y a du ciel, il se trouve tout en haut de l'image, très au-dessus de ma tête. Entre mes épaules et lui, la zone claire qui se révèle est celle d'une grande place que l'objectif, réglé pour une prise rapprochée, laisse dans une sorte de flou spectral.

Attends, ça me titille les cellules grises. Je me visionne à châsses perdues pour tenter coûte que coûte de retrouver ce bout d'instant de ma vie qui m'a été dérobé. Mes méninges font du home-trainer. Tu as déjà vu, dans un vélodrome, ces pistards immobiles sur leur vélo qui attendent qu'un des leurs attaque pour fondre sur lui tels des oiseaux de proie et tenter de le baiser au virage ? Me trouve dans une situation analogue. Je retiens ma gamberge pour laisser à la photo le temps de livrer tout ce qu'elle contient. Ma posture, par exemple...

Putain ! ça me cigogne brusquement la pastèque : là-dessus, je sors de ma Ferrari. Oui, la position de mon corps est éloquente. Je viens de m'arracher de mon bolide et ce petit truc pointu, en bordure d'image, c'est le coin supérieur de la portière. J'ai été photographié de l'intérieur d'une autre bagnole, ce de bas en haut.

Récapitulation : au moment où j'ai stoppé, une tire qui devait me filocher s'est rangée à ma hauteur, de l'autre côté de la chaussée, le temps qu'on mette ma bobine sur bobine. Moi, illustre tête de nœud, je n'y ai vu que du *schwartz*.

Où et quand était-ce ?

De quelle place s'agite-t-il ?

C'est pas un nom de place qui me vient, mais un nom de fille : Jeanne. Une môme de premier ordre. Étudiante en lettres. Brillante. Elle a écrit un bouquin sur moi titulé « Faut-il brûler San-Antonio ? » avec, en sous-titre, « Ou bien l'adorer ». Me l'a apporté à la Grande Volière, une fin d'aprème. Rosissante et hardie à la fois, comme le sont beaucoup de gercettes aujourd'hui. Elle avait mis une jupe plutôt brève, en jean, un sweater blanc, une sorte de boléro brodé. Elle était très brune, avec la peau mate et des yeux d'Indienne. Ses longs cheveux ramenés sur son côté gauche en une forte torsade tenaient par des élastiques.

Son « livre » se présentait comme une sorte de grosse brochure photocopiée.

Il m'a ému, probablement parce que la gosse était émouvante ? Je m'en suis saisi aussi gauchement qu'elle me l'a tendu. J'ai dit des trucs idiots dont je n'ai pas conservé le moindre souvenir.

J'étais bien décidé à ne pas le lire : je ne prends jamais connaissance, ou presque, de ce qu'on tartine à mon sujet. Ce que je ponds sort de moi sans le moindre calcul. Ça plaît ou déplaît, je n'y puis plus rien. On n'écrit pas à la poule pour lui parler de son œuf. Il a été pondu et tu ne peux plus rien ajouter ni retrancher. Quand on me signale un bon papier, il m'arrive de le lire. Mais il me déçoit tout de même parce que je sais pertinemment qu'il n'a plus le moindre rapport avec moi. On vit séparément désormais. On ne se rencontrera plus, le *book* et ma pomme. Ç'aura été une connivence d'un instant qui tourne au rendez-vous manqué. Mais comment faire comprendre ça à des gens qui ne connaissent pas les affres du créateur, non plus que ses espoirs ? Chacun de nos actes est un malentendu.

Et je t'en reviens à la jolie Jeanne. Elle abandonne son « étude » sur mon bureau et tourne les talons. Je la rappelle comme elle parvient à la porte. La voilà qui se retourne. Un vraie squaw, je te jure. On se visionne bien au fond des orbites.

Je dis :

« – Votre spartiate gauche est délacée. »

Elle reste pétrifiée par je ne sais quel désespoir, puis rajuste sa chaussure que j'ai appelée « spartiate » mais qui serait plutôt du genre cothurne. Et puis s'en va.

Je suis troublé.

Avant sa visite, je m'apprêtais à vider les

lieux. Au lieu de ça, je me fous à bouquiner son « essai ». Blabla. J'aurais préféré qu'elle m'offre sa chatte, là j'aurais pris un plaisir extrême à la parcourir et me serais humecté les doigts pour tourner les pages.

Je m'en vas, le manusse sous le bras.

Au dos, elle a écrit son adresse. C'est en banlieue ouest, à Triel-sur-Seine. Je m'y rends. Et voilà l'origine de la photo qui figure dans la penderie du pseudo-Kurt Vogel. Un jardin public. En bordure, des immeubles banlieusards. Elle crèche au 6. Je trouve son blase sur une boîte aux lettres éventrée. Deuxième étage, y est-il précisé. Je monte. C'est un mec qui répond à mon coup de sonnette. Un grand zig de vingt-cinq piges, pas rasé, en tricot de corps. Il a un bébé qui pue le lait suri dans les bras.

« – Chez Mlle Bescherel ? »

« – Oui... »

Et puis il me reconnaît.

« – Mince ! Vous êtes... »

« – Oui. Elle est là ? »

« – Pas encore rentrée. »

« – Vous voudrez bien lui remettre ce manuscrit ? »

« – Bien sûr. Vous y avez jeté un coup d'œil ? »

L'expression convient pile à la réalité.

« – Oui. »

« – Vous en pensez quoi ? »

« – Rien. »

« – Vous le trouvez mauvais ? »

« – Au contraire, c'est excellent, mais ça ne me concerne pas. Le bébé est à elle ? »

« – A elle et à moi. »

« – Une fille ? »

« – Oui. »

« – Elle s'appelle comment ? »

« – Princesse. »

« – C'est un prénom, ça ? »

« – Maintenant qu'elle le porte... »

« – Évidemment. Salut ! »

Je retrouve ma Ferrari au ras du trottoir. J'ignore que quelqu'un m'a flashé. Et voilà que la photo est punaisée dans une penderie de Montevideo. Si tu penses que ça n'est pas un mystère, c'est que tu es blasé !

Je musarde encore dans l'immense chambre. Une étrange mélancolie m'envahit, résultant sans doute de l'obscure menace que constitue pour moi le portrait de la penderie. J'en ai vu d'autres. M'émeus rarement. Pas spécialement courageux, dirais plus volontiers fataliste. Seul l'inéluctable arrive. Alors pourquoi tout craindre ?

« *Laura, doux visage à peine entrevu...* »

Toujours cet air qui me pétouille en période de *spleen*. C'était quoi, cette Laura ? Une gonzesse qu'on croyait morte mais qui ne l'était pas. Que fait-il à Montevideo, M. Vogel ? Il se planque ? Pourtant la nuit il drague dans les boîtes. Tu estimes que c'est prudent ?

Un bruit bizarre.

Je mets au moins trois secondes à réaliser que c'est le ronfleur du bigophone.

Dans ces cas précis, deux possibilités : soit tu décroches, soit tu laisses sonner jusqu'à ce que le correspondant se fatigue. Je gamberge, pesant le pour et le contre, le temps de quatre turlus. Finalement je cramponne le combiné et, prenant une voix de connasse endormie :

– *Diga me !*

Puis un organe féminin :

– *El señor Vogel, por favor.*

– *No este aqui.*

– *Gracias !*

On raccroche.

Je idem.

Déjà, je me joue la *Valse des Regrets*. La gonzesse qui vient de carillonner fera état de son appel au locataire. Alors, sachant qu'il n'y a personne chez lui, le mec comprendra que ça se gâte.

Mécontent de moi et peu satisfait de l'existence dans son ensemble, je prends le parti de tailler la route.

C'est au tournant de l'escalier de marbre que je réalise la merderie qui s'est opérée céans pendant mon séjour au premier.

Deux hommes gisent inanimés sur le sol du living. Je les reconnais depuis l'endroit surélevé où je me tiens : Béru et Vogel.

Ils sont proches à se toucher. Le Mastard est face au sol alors que Vogel, lui, repose sur le dos.

Pour ce dernier, les choses paraissent mal barrées car il a la partie gauche de sa boîte crânienne complètement défoncée par un objet contondant que le Mastard tient dans sa main droite : un chandelier de fonte noire, à la forme moderne ; je l'ai vu naguère en pénétrant dans cette pièce.

A priori, il semblerait que Vogel soit arrivé par surprise et qu'il ait voulu neutraliser mon pote, lequel, n'écoutant que son tempérament, a saisi ce qui se trouvait à sa portée, le chandelier en l'occurrence, et en a administré un coup dans la poire de Kurt.

Question élémentaire (cours moyen) du cher Watson : « Qui a terrassé le Mammouth ? »

Cherchant, je trouve.

Une capsule de gaz anti-agression. Elle gît sur le tapis. Nous voilà bien Loti, mon pauvre Pierre !

Je parviens à rouler ma barrique de connerie sur le flanc. Béru respire en produisant un bruit de liquide porté à ébullition.

Rassuré sur son compte courant, je vais me genouiller auprès de notre « client ». Sache qu'en ce qui le concerne, son horoscope ressemble à son encéphalogramme : il est aussi plat que la poitrine de la reine Babiola.

Alors là, m'est avis que la situasse vire à la cata des grands jours. Si tu me permets de résumer : j'ai personnellement réveillé le lieutenant de police pour lui annoncer que nous allions procéder à une violation de domicile, opération au cours de laquelle mon incomparable adjoint carbonise le zigus qui tant intéresse les flics de différentes nations, dont l'Angleterre, merci du peu, *Your Majesty* !

Si t'appelles pas ça un pot-à-chiasse, c'est que t'es trop poli pour lire mes *books*, auquel cas faut te rabattre sur les « Aventures de Chattounette », la petite ado qui se masturbe avec un doigt seulement !

CAPITULO DIEZ

Un qu'est moins affable que La Fontaine, c'est mon ci-devant pote Ramirez. Il s'est rhabillé en hâte et a toujours sa tache de sperme sur sa braguette.

Ces Sud-Amerloques, c'est fou ce que leur barbe pousse rapidos. Hier soir, quand il m'a invité à dîner, ses joues bleuissaient à peine. A deux plombes du mat', c'est carrément le piège à macaronis qu'il se trimbale. Il ferait minette à Maria del Carmen dans cet état, elle aurait la peau des cuisses abrasée, la chérie.

Les sourcils charbonneux, l'œil pas tendre, puant un tantisoit de la gueule, il est pas amène du tout, dirait un littérateur.

Il marche dans la partie dégagée du livinge, en évitant le cadavre. Quand il lui coule un regard, celui-ci est de fureur. Il en veut au mort de sa nuit gâchée, de son enquête carbonisée, du foin que ce meurtre va provoquer dans Montevideo.

C'est un gonzier qui connaît à bloc le pilotage sans visibilité, Rami. Il veut pas que sa carrière prenne de la gîte à cause de deux Français venus lui donner des leçons de police.

Il me dit brusquement :

– Je ne peux faire autrement que d'arrêter votre collaborateur !

Je hausse les épaules.

– S'il affirme n'être pour rien dans la mort de Vogel, vous pouvez lui faire confiance ! rebiffé-je. Le principal Bérurier est le flic le plus digne de foi que je connaisse.

– Moi, je ne le connais pas ! riposte mon homologue.

On se visionne rapidement, en patibulairant de la prunelle. A cet instant, nous nous haïssons, et je niquerais volontiers sa gerce devant lui pour montrer à ce rouleur de mécaniques ce que c'est qu'une vraie séance d'embroque à la française.

Le Mastard grommelle :

– Qu'est-ce y dégoise, ton calamistré d' mes roupettes ?

– Il ne croit pas à ton innocence.

– Et à sa connerie, il y croive ?

– On t'a trouvé avec l'arme du crime dans la main, fais-je valoir.

– Et quand bien-ce même je l'eusse t'eue dans le fion, ça changerait quoive ?

Belle âme sereine ! En paix avec elle-même. Il ne craint ni Dieu ni diable, mon Valeureux, puisqu'il se sait blanc-bleu.

– Comment expliques-tu ce qui s'est passé, alors ?

– Étant donné qu' t'attardais n'en haut, je m'aye assoupi dans un fauteuil. N'oublille pas qu' j' viens d'êt' malade et qu' j'aye l'organisse bourré d' médicaments. Deux gonziers a dû surviendre en loucedé. Y m'ont gazé les naseaux, n'après quoi l'un a buté l'aut' et m'a filé c' candélabe en pogne. Pas marle ! Faut t'êt' c'te tronche d' paf pour pas y admett', mec.

I am convaincu que ce policier intègre exprime la vérité du bon Dieu, comme on disait dans les *books* amerloques de jadis. Effectivement, là est le canevas suivi par le meurtrier de l'homme que nous traquions. Vais-je pouvoir le faire encaisser à mon confrère d'ici ?

Je tente.

Il m'écoute, un indéfinissable sourire aux lèvres. Il y a autant de crédulité sur sa frite de Casanova pour noces et banquets que de mansuétude chez un dynamiteur du F.I.S.

Lorsque je me tais, il dit :

– Mon cher, votre version des faits me semble quelque peu romanesque. Il appartiendra au juge d'instruction qui va être commis de la vérifier.

Il lance un ordre à l'un de ses hommes restés debout près de la porte. Ce dernier dégage une paire de menottes de son ceinturon et s'approche de Sa Majesté hydraulique. Je me dis que si Bibendum se laisse aller à sa nature profonde, le flic aux menottes devra foncer chez le dentiste et l'oto-rhino toutes affaires cessantes.

– Surtout ne fais pas le méchant, Alexandre-Benoît ! l'exhorté-je. Si tu regimbes, ce sera le désastre ; je vais t'arranger les bidons sitôt que l'ambassade de France ouvrira.

Il est très bien, le Mammouth. Tendant ses monstrueux poignets, il ricane :

– Vas-y, joli macaque, un d' ces quat' j' t' montrererai comment c'est fastoche d' s' débarrasser d' tes cadennes !

– Emmenez-le ! dit Ramirez à son subordonné.

Et voilà mon cher Béru emballé comme un malfrat. Il me lance :

– Grouille-toive d' m'arracher, gars, qu' sinon, d'main soir, j' leur tire ma révérence, plus quéques pains dans la gueule ; tu m' connais ?

Il quitte la pièce en bombant le torse. « Sûr de lui et dénominateur », que disait le Grand Charlot qu'avait des baffles plus vastes que des antennes paraboliques.

Un court silence. Je fixe le lieutenant avec attention. Sa fumiardise fait presque peine à voir. Comme on peut se gourancer sur les gens : je l'avais jugé con, mais bon zig. Et voilà que je suis en train de réformer la seconde partie de mon appréciation.

– Quant à vous, me déclare-t-il, je vous serais reconnaissant de ne pas quitter la ville jusqu'à nouvel ordre, n'est-ce pas ? Je vous tiens pour suspect, voire complice dans cette affaire.

Je lui souris tendre.

– Cher confrère, murmuré-je, seriez-vous prêt à jurer sur la vie de votre ravissante épouse ou sur celle de la dame qui vous a causé cette tache de sperme sur la braguette au cours de votre absence nocturne ; seriez-vous disposé à jurer, dis-je, que vous croyez réellement à la culpabilité de mon collaborateur ?

Ce parlant, je le mate pleins phares, et avec une telle intensité qu'il finit par détourner les lotos.

Alors, Bibi, empli d'une mâle assurance, de lui poser la main sur l'épaule :

– Ne me prenez pas pour un enfant de chœur, cher Ramirez y Ramirez y Ramirez [1], en feignant d'avoir trouvé la clé d'un mystère qui va nous valoir bien des rebondissements. Je vous donne jusqu'à cet après-midi pour élargir mon assistant, lequel l'est déjà pas mal. Lorsque cette affaire sera solutionnée, nous ferons le gueuleton prévu, tous les quatre.

– Quels quatre ? il fait gauchement, ce nœud coulant.

– Votre délicieuse épouse et vous, plus mon effroyable collaborateur et moi. Je sens que ce sera détendu et que nous passerons une bonne soirée.

– Vous vous faites des illusions, fait ce macho de mes belles deux.

– Peut-être. L'avenir nous le dira ! rétorqué-je, kif dans les fascicules de « branlette story », à la fin d'un épisode.

Et je m'en vas.

Dans la nuit !

1. Je devrais l'appeler « Ramirez au cube ».

CAPITULO ONCE

Les photos sont excellentes. Surtout une qui représente un gros plan du chibre béruréen enfournant le mignon dargiflard de Pamela Right. La durite du Mastodonte est extravagante. Chaque fois qu'il m'est donné de l'apercevoir, je ne puis réprimer un haut-le-corps tant ses surdimensions m'intimident. Une fois encore, la chose me bouleverse. J'ai la preuve que les desseins de la Providence sont impénétrables, qui permettent, justement, à cette formidable anomalie de l'espèce l'accès à un si gracieux prosibus.

En me remettant ces documents, le photographe pousse une tronche dévastée par l'incrédulité et la peur. Il ne savait pas, ce pauvre biquet, avec sa zigounette de caniche, que la nature pouvait produire des braques d'un tel calibre. Il est médusé de constater que, de surcroît, le zob fantasmagorique parvient à se loger en un fessier charmant qui pourrait tenir dans ses deux mains en conque.

– O.K. ! fais-je, après avoir passé les tirages en revue.

Je sélectionne sur le film la photo si impressionnante de l'intromission, puis une autre où le paf de Sa Majesté laisse la priorité au minois de l'infante, car, dans toute « levrette », il est des instants où la partenaire éprouve le besoin de se retourner pour avoir une vue d'ensemble du mâle besogneur. Même chez les bovins, je l'ai remarqué, ce réflexe existe.

Désignant les deux prises au photographe éberlué, je lui demande d'en tirer vingt-quatre de chaque. Du coup, l'homme se dit que je fais commerce de pornographeries et marque sa dubitativerie par une expression de frayeur telle qu'elle ferait capoter une grossesse de guenon.

Pour lui calmer les affres, je mets un billet de cinq cents dollars sur le comptoir.

– J'en ai besoin tout de suite, lui fais-je gentiment, le plus simple est que je les attende.

Et de me déposer sur l'unique siège de son estanco.

Hébété mais cupide, il regarde tour à tour la coupure et la péloche ; puis, cessant de balancer, il rafle le talbin et gagne sa chambre noire.

***

Le vieux brocanteur repose toujours dans son fauteuil d'osier tressé où ont agonisé déjà deux ou trois générations de rats dans son genre. Je le salue mais il fait comme s'il ne me reconnaissait pas et, après tout, n'est-ce pas le cas ?

Je place mon pacsif de quarante-huit épreuves sur la banque de sa boutique. Dessus, j'ai écrit *Pamela Right* en belle écriture ronde conventionnée. Prudemment, j'ai scotché les bords de mon envoi, étant homme d'honneur soucieux de la réputation d'une dame.

– De toute urgence ! fais-je au fossile.

Il fait un temps miséricordieux : pas trop chaud mais ensoleillé, avec une brise en provenance de l'Atlantique. Des oiseaux gris tournoient au-dessus du marché aux poissons. En Uruguay, c'est moins échevelé que dans les autres patelins de la Sud-Amérique. La population s'y comporte plus calmos, à force d'Allemands, d'Italiens et de Russes. Du temps que je flâne, j'achète un beau sac de cuir pour Félicie. Ma vie est si trépidante que je ne lui rapporte presque jamais de cadeaux de mes pérégrinations.

Lesté de mon emplette, je retourne à notre hôtel.

– Il y a une visite pour vous au salon, me dit le concierge à la peau olivâtre.

Troublé, je m'y rends. Et qu'asperge-t-il, assise, les jambes croisées ? Mme Ramirez y Ramirez y Ramirez en personne.

Le soleil ! Elle porte une robe de lin jaune à col blanc. Comme bijou, un pendentif représentant le Christ du Corcovado qui surplombe la baie de Rio. Pour l'heure, le cher Seigneur surplombe la plus bioutifoule paire de loloches qui se puisse trouver, de l'equateur à la Terre de Feu.

– Quelle merveilleuse surprise ! soupiré-je en prenant place près d'elle.

Elle abaisse son imprimé, me considère avec gravité, puis un léger et doux sourire passe sur sa bouche ensorceleuse.

– Bonjour, murmure la divine épouse d'un sale con.

– Vous me pardonnez d'avoir troublé votre nuit ? dis-je. C'était mal vous remercier d'une soirée sublime.

– Avec le métier de mon mari, j'ai l'habitude des réveils inattendus, répond-elle.

– Puis-je vous demander ce qui me vaut le grand bonheur de votre présence ?

– Le besoin de vous parler.

– Hier soir, vous ne m'avez donc pas suffisamment « tiré les vers du nez » ?

Elle reste imperturbable et, après un silence :

– Où puis-je vous entretenir ?

Ses yeux se promènent sur les clients de l'hôtel, des Argentins et des Amerloques pour la plupart.

– Je vous proposerais bien mon appartement si vous ne trouvez pas la chose inconvenante ?

Tu remarqueras qu'à dessein j'ai usé du terme « appartement » davantage convenable que celui de « chambre ». Tout est dans la nuance lorsque tu t'adresses à une dame.

En tout cas, elle ne s'offusque pas de ma propose et, en matière de réponse, se lève. Me suit avec une docilité qui vous met un gant de boxe dans le bénoche.

Parvenus dans ma chambre, je la prie de s'asseoir. Au lieu de, voilage-t-il pas qu'elle s'approche, se colle à moi, noue ses bras à mon cou et se met à me galocher sauvagement les muqueuses. Dedieu ! Tu croirais le premier secours aux noyés, kif il est prescrit dans les manuels.

Moi qui ne m'attendais à rien de tel, compte tenu du calme dont elle faisait preuve, j'en éberlue de partout. Un éberluage teinté de ravissement, comme on dit puis chez les marins pêcheurs de Concarneau. Illico, j'envoie ma dextre en éclaireuse : un pressentiment ! Gagné ! Elle n'a pas mis de culotte. Donc y avait préméditation de sa part, Maria del Carmen. Projet de viol, si tu réfléchis.

N'écoutant que ma membrane dodelineuse, je lui cisaille l'entre-deux du tranchant de la main (d'où l'origine de l'expression « se faire trancher », je suppose ?). Elle commence déjà à geindre d'une manière sorcelante. Tu croirais une horde de louves en chaleur hurlant pour réclamer du trognon.

Cette personne me rend barge. Te la dépiaute en sixième vitesse, urbi et orbi. Lui tombe à genoux sur ses harnais giseurs, la saisis aux meules, lui débroussaille la touffe à la menteuse vorace. C'est plus des plaintes qu'elle exhale, mais des cris qu'elle pousse : des vrais, en espagnol sud-américain !

Incapable de conserver la verticalité, elle se laisse répandre sur la moquette. Charlotte, tu verrais le tableau ! La manière que, à demi pâmée, elle trémulse du concocteur à soubresauts ! En veut d'urgence, beaucoup, énormément. Je peux plus différer, j'ai la bistougne en soc de charrue, mézigue ! Le brabant de nos pères, souviens-toi ! Qui éventrait la terre, écrasait les mottes !

J'entreprends les travaux d'Hercule. Chacun de mes coups de reins la déplace de vingt centimètres, si bien qu'en moins de jouge, on se retrouve bloqués sous le plumard. Plus mèche de continuer ma besogne refoulante, ne dispose pas de suffisamment de recul. Veux l'en convaincre, mais en plein cirage, elle a enfoncé ses ongles dans mon dargiflard et refuse de lâcher prise. C'est l'aigle superbe emportant l'agneau dans son aire. Nous sommes inextricables, soudés, emmanchés quoi.

On est les soutiers de l'amour ! Les fouisseurs de la fornique ! Elle stridente de plus belle, ne s'interrompt que pour me mordre à l'épaule. Ça devient bizarre, comme passion. Compte-t-elle me manger tout cru ? N'en général, on m'attaque par le chibre, pas par le portemanteau. Elle lance des plaintes d'une sauvagerie tout à fait extrême. C'est même pas de l'espanche. De l'indien, tu crois ? Apache ou jivaro ? Ma rampe de lancement raccourcit. Je ne peux, faute d'élan, que poursuivre en m'engageant plus avant dans la personne. Ça contribue à son bonheur. *Never* on ne l'avait encore calcée ainsi. Elle fait part à l'univers de la découverte essentielle que constitue ce limage sous pression.

Notre démenage continue pendant des

minutes indicibles. Je bois le ciel ! J'ai des élancements pourpres dans le bocal. Tu penses que je vais hémorrager de la calbombe ? Me retrouver dans une voiturette d'infirme pilotée par ma Félicie d'amour ?

L'explosion, enfin ! La formidable libération dans les étoiles ! J'affale sur Ninette, mort d'amour. Elle geint faiblement, tant tellement sa pâmade a été intense. Son panard court sur la vitesse acquise. Parcourue de grands frissons, il me semble étreindre encore une ligne à haute tension.

– Ça ne va pas, *señor* ? demande une voix.

Je regarde dans la direction et découvre un larbin à plat ventre qui nous visionne.

– Ça ira mieux si vous soulevez le lit pour nous permettre de nous dégager, réponds-je.

CAPITULO DOCE

Nous nous remîmes avec peine de cette séance farouche. La pauvrette haletait kif les premières locomotives dans les rampes. Un instant, je craignas qu'elle s'étouffît. Des larmes superbes ruisselaient de ses yeux, ce qui n'a rien de très surprenant car d'où voudrais-tu qu'elles coulassent, figure-de-fesse-en-peau-de-zob ?

Je la prisas dans mes bras et couvris sa nuque de baisers qui en auraient fait mouiller plus d'une.

Elle balbutiait, en espagnol de là-bas :

– Oh ! je t'aime, je t'aime, chéri !

Ce qui est bien plus beau, débité dans la langue de Cervantès.

Maria del Carmen paraissait en proie à un véritable chagrin.

Je la bercis (tel le quai du même nom) en lui murmurant des mots tendres, comme quoi je venais d'accéder à l'extase, que j'étais prêt à lui en remettre vingt-trois centimètres dans les baguettes, à lui déguster la case-trésor en accompagnant cette suave manœuvre de deux doigts en canon de Colt dans la boîte aux lettres, que je rêvais de lui sucer les bouts de loloches jusqu'à ce qu'ils devinssent effilés comme des pointes de compas, que je comptais fermement la fourrer princesse, lui dévorer les légumes, la réduire aux acquêts, l'enduire à la colle d'affiche, lui manigancer l'échappement libre, lui lubrifier la bande du limonaire, l'extasier de la soupape, lui déponner les ballasts, engloutir son clapet, débitougner sa manche à air, désherber son mont de Vénus, écarquiller ses babines-gros-sel, pilonner sa base lance-missiles ; bref, la faire à ce point étinceler que, pendant la quinzaine qui suivrait, elle ne pourrait plus s'asseoir que sur les genoux.

Mais nonobstant ces promesses, pourtant précédées des faits (et d'effets), elle continuait de libérer son chagrin à gros sanglots salés.

Devant cette peine qui ne tarissait point, je m'alarmai, comme disait Mallarmé. En voulus connaître la cause pour tâcher de la lui extirper. Je n'eus de cesse qu'elle me livrât sa détresse.

J'obtins ses confidences. Elles me causèrent un certain émoi, tant le malheur d'une jolie femme est plus pathétique que celui d'une locdue tarte à en faire gerber un rat d'égout.

Contre toute apparence, son époux lui menait une vie d'enfer. Il la frappait plus que nécessaire pour assurer la bonne marche d'un foyer normal, lui infligeait des brimades et humiliations sans nom, la ployait à ses caprices, ce avec une persévérance sadique. Pas un jour ne passait, qu'il ne trouvât un moyen de la martyriser. Elle avait essayé de s'en ouvrir à son papa, mais celui-ci avait fait des affaires illicites avec la complicité de son abominable gendre et donc ne pouvait guère entrer en conflit avec lui.

Le chapitre des lamentations clos, elle passa à d'autres sujets qui, j'ose l'admettre, m'intéressèrent bien davantage. Non que je fusse insensible aux déboires conjugaux d'une aussi ravissante épouse, mais ce qu'elle me révéla concernait ma mission et donc avait priorité sur le reste. Cet être d'amour, à la sensualité de chatte humide, m'avoua qu'elle avait été chargée par son cosaque de me questionner la veille au soir, ce dont elle s'était acquittée avec répugnance, mais soumission. Comme une inclination spontanée la portait vers moi, elle avait été heureuse de constater ma loyauté et en avait fait part à l'abominable lieutenant de police. Plus tard, dans la nuit, j'avais téléphoné à Ramirez. Après ma communication, il jubilait et avait illico appelé le chef inspecteur Medialunas en lui disant :

« – Ce sera pour cette nuit : les Français font une visite illégale chez notre homme. Vous savez où il est ? Au *Rafael* ? *Bueno !* Appréhendez-le discrètement, ramenez-le chez lui et faites le nécessaire avec un maximum de discrétion. Ensuite, il n'y aura plus qu'à intervenir et c'est les collègues parisiens qui porteront le sombrero [1]. »

Le sang (et du chouette, crois-moi) me monte au cerveau. Fumier de Ramirez ! Ainsi, il attendait une occasion propice de liquider le terroriste en gardant le nez propre. Et c'est ce tocard de San-Antonio qui la lui apporte sur un plateau !

Ah ! la chère et délicieuse Maria del Carmen ! Que de reconnaissance je lui dois ! Je passerai les jours qui me restent à vivre à lui grumer le clito, à genoux sur des tessons de bouteille pour lui revaloir l'inestimable présent qu'elle vient de me faire !

Le traître de Ramirez ! Ce sombre et bas fumelard ! Cette déjection de crapaud hydrophobe ! Comment qu'il m'a bité, le sagouin ! Je vais avoir encore davantage de bonheur à

1. En Amérique du Sud, expression populaire équivalente à notre « porter le chapeau ».

lui évaser sa gerce ! Charogne, faut que je la fasse reluire jusqu'à fond de cale, cette gentille frangine !

Tout en lui clapant la menteuse, sans préjudice de quatre doigts groupés dans la caisse enregistreuse, je songe à la bonté divine qui me permet d'avoir connaissance des noirs desseins de gens mal famés et de sale embouchure attachés à ma perte.

Je lui réitère une séance cosaque de belle venue qui, de nouveau, la met sur les rotules. Dès lors, je la couche *in my bed*, la borde, la baisote aux paupières, lui fais « langue pointue » dans les oreilles et décide de prendre un bain assaisonné de sels parfumés et vivifiants (d'après ce que prétend le sachet qui les contient).

Juste que j'achève mes ablutions, j'entends qu'on me hèle depuis ma chambre. Le temps de passer un peignoir, et je sors de la salle d'eau.

Je suis alors en présence de devine qui ? Tu donnes ta langue de vache ? T'as raison, car t'aurais jamais trouvé ; pas seulement de par ton manque d'intelligence, mais parce que ça ressemble trop à du Labiche.

Ramirez ! mon ami. Pas moins. Autrement dit l'époux ! *The* mari ! *Mister* Cocu, en cornes et en os ! De quoi se bouffer les couilles en vinaigrette, admets ?

Je file un coup de saveur au page. Sa madame s'y est lovée et a tiré le couvre-pieu par-dessus son académie. Ne dépasse d'elle qu'une touffe de cheveux que je devrais plutôt appeler une mèche. Je maîtrise complètement la légitime panique qui s'empare de moi.

– Je ne vous ai pas entendu frapper ! fais-je d'une voix maussade.

Il déclare :

– J'ai frappé !

Son regard est tout coagulé, tout vilain, que tu le prendrais pour deux glaves de tubard en train de phtisier.

– Asseyez-vous donc, lui proposé-je en lui offrant un fauteuil qui, si j'ose dire, tourne le dossier au lit.

Mais ce sale veau secoue la tête :

– Pas le temps.

– On prend bien le temps de mourir, débité-je, parodiant feu ma vieille grand-mère qui chipotait jamais sur les formules toutes faites.

Il ne tient aucun compte de ces fortes paroles et me lâche d'un ton grondant :

– Votre gros type a tout avoué !

– C'est-à-dire ?

– Il reconnaît avoir assassiné Kurt Vogel.

Mon radieux sourire le trouble quelque peu, je le constate à la lueur indécise de son œil salingue.

Il prend souffle et me demande :

– Vous ne me croyez pas ?

– Non, mon cher.

– Pourtant ses aveux ont été consignés par le juge Belgrano.

Mon sourire s'accentue. Je m'approche de lui et déclare aimablement en toquant sa poitrine de mon index :

– Notre type a été trucidé par l'inspecteur-chef Medialunas, sur votre ordre, cher Ramirez y Ramirez y Ramirez.

Là, je le cisaille au ras de la tige. Il s'attendait si peu à cela qu'il perd tout de suite pied comme le font les petits tyrans à trois pesos de sa détrempe.

J'ajoute, sans cesser de le scruter, à la manière dont tu regardes une coquille de bigorneau pour t'assurer qu'il ne reste plus rien de comestible à l'intérieur :

– Je viens d'envoyer un message codé à Paris, mon bon ami. Il va vous pleuvoir des bordures de trottoir sur la figure si cette affaire dégénère. La seule conduite que vous puissiez adopter pour rester au sec, c'est de faire ramener mon collaborateur ici dans l'heure qui suit, de détruire les déclarations bidon que vous lui avez arrachées et de nous oublier. S'il nous arrivait le moindre problème au cours de notre séjour, ne serait-ce qu'une cheville foulée, vous le regretteriez de façon indélébile. Tenez, cher Rami, le téléphone est là, donnez des instructions pour que M. Alexandre-Benoît Bérurier soit immédiatement ramené à son hôtel.

Je le biche par le revers de sa veste et gueule :

– Bouge-toi le cul, Tête-d'haineux, sinon ta vie va ressembler à un seau hygiénique de cholérique !

Dompté, il empare le combiné que je lui tends de ma main libre. Il retrouve sa voix tranchante pour répercuter à ses services l'ordre que je viens de lui donner.

Si tu veux ma façon de penser, ça fait des années qu'on ne lui a pas parlé de la sorte. Qui sait, peut-être est-ce même la première fois ?

Lorsqu'il a raccroché, je le pousse dans un fauteuil.

– Nous allons attendre le retour de mon adjoint, fais-je du même ton sans réplique que précédemment.

Il est gris de rage.

– Pour le compte de qui avez-vous fait liquider Vogel ? interrogé-je.

Il garde son clapet fermé.

– Les Anglais ?

Mutisme complet. Je le houspillerais bien pour lui faire cracher le morceau, seulement je préfère me maîtriser. *Too much* serait trop, il est suffisamment humilié comme ça.

Et mézigue, de savourer cette situation, dont je t'ai déjà déclaré qu'elle était vaudevillesque : le cornard dominé en présence de son épouse qu'il martyrise ! Sans savoir qu'elle assiste à la scène, peu glorieuse pour lui !

Voilà, on a cessé de communiquer, lui et moi. Il mastique sa rage à pleines dents, moi je m'enfonce dans des supposes. J'entrevois des trucs-machins pas charançonnés, crois-le. Par flashes éblouissants ! Je me dis : « Et si les Rosbifs avaient décidé de faire liquider Vogel par " les Français " ? S'il était capital que nous portions le bitos, nous autres les Gaulois ? S'il existait une sorte de raison d'État à cela ? » Peut-être envoie-je le bouchon trop loin ?

Soudain, mon lieutenant de fripouillerie se penche en avant. Il vient d'apercevoir, sur le plancher, une chose qui « lui dit quelque chose ».

Une chose qu'il reconnaît bien.

L'adorable soutien-gorge de sa femme. Une exquise lingerie bleue, bordée de dentelle noire.

CAPITULO TRECE

Tel un automate aux tomates, il s'avance pour s'en saisir. Le porte à son pif, en renifle le délicat parfum, reconnaît cette odeur sublime de femme jeune et de fleur sauvage. Il est devenu livide comme un lit vide. C'est le coup de gourdin sur l'occiput. L'anéantissement du maître floué par l'esclave. Tyran cocu, la terre s'ouvre sous son poids de cornard. Son cerveau pèse une tonne, car il se débat avec les espoirs ultimes du doute. Il voudrait refouler l'évidence. Soutien-loloches *or not* soutien-loloches de sa Maria del Carmen ?

Il respire derechef cette relique émouvante. Et puis, en chancelant, il marche jusqu'au lit, saisit le drap de dessus. Hésite encore. Doit-il s'abstenir ? Laisser place au doute salvateur ? Ou bien se rendre au supplice ?

Sa quiétude est en équilibre précaire. Mais l'homme, tu ne l'ignores point, a le goût du malheur. Celui-ci constitue sa vocation profonde. Alors, d'un coup sec et brutal, il arrache le couvre-lit.

Les chênes qu'on foudroie, qu'on fout droits ! Il reste silencieux. Son bénoche se pare d'une auréole d'humidité qui va s'élargissant. La gentille est là, pétrifiée. Nue, avec son triangle de panne pour tout vêtement. Elle fixe son Raminagrobis avec fatalisme, sachant bien qu'il va la trucider ou la déguiser en hamburger.

J'aimerais qu'il parle. L'individu qui profère est moins dangereux que celui qui se tait.

Il la traiterait de pute borgne, de saloperie vivante, de charogne pestilentielle, ça détendrait l'atmosphère. Mais ce mutisme de tragédie, ce regard fixe de médium qu'on ne peut réveiller, annoncent des abominations sous pression. Peut-être que je devrais prendre l'initiative, tu crois pas ? Dire n'importe quoi pour renouer avec l'humanité soudain absente ?

En fait, c'est Maria del Carmen qui se manifeste.

Elle fait, fixant l'époux honni jusqu'au fin fond de ses yeux :

– Tu vois, Luiz, je me suis donnée à cet homme et il m'a fait jouir comme je n'avais encore jamais joui. J'ai râlé d'amour en prenant son sexe dans le mien. Il m'a procuré un plaisir dont tu n'as pas la moindre idée. Il est fait pour donner le bonheur, comme toi le malheur. Tu peux me tuer, ça n'a plus aucune importance ; grâce à lui, j'aurai été heureuse.

Elle se tait, place ses bras derrière sa tête, mouvement qui fait se dresser ses seins et, sublimement résignée, s'abîme dans la contemplation du lustre à pendeloques.

Le Bafoué, avec une lenteur exaspérante, soulève l'arrière de son veston et dégaine son pistolet. Je me dis que le vaudeville débouche parfois sur la tragédie.

– Ne commettez rien d'irréparable, Ramirez ! lancé-je. Pensez à votre carrière !...

Il opère un quarante-cinq degrés et me braque. Je vois blanchir son index sur la détente. D'un bloc, je m'écroule un millième de seconde avant que la valda parte et aille pulvériser une potiche chinoise de bazar placée naguère sur la commode.

Ce sagouin assassin fait un pas en arrière pour me mieux cadrer au sol. Cette fois, je vais dérouiller le potage !

Non ! Mon lutin personnel souffle à Maria del Carmen ce qu'elle doit faire pour revaloir au mâle, qui l'a si magnifiquement sabrée, la monnaie de sa bite.

La lampe de chevet !

Elle s'en saisit et l'abat sur le cigare du mari abhorré. Je t'ai pas encore dit ? Le pied de la loupiote est en marbre vert. Trucmuche y Trucmuche y Trucmuche s'efface une tisane soporifique de toute beauté et reste inanimé près de moi.

– Merci, chérie. Sans vous, ma mère serait en grand deuil. Vous venez de donner la preuve d'un grand courage ; seulement, il va falloir vous mettre à l'abri car la vengeance de votre vilain risque d'être sanglante !

Là-dessus, la porte s'ouvre en grand puisqu'elle doit laisser le passage à Béru.

Le Majestueux pénètre dans l'apparte, la bouche amère, l'œil glauque. Il regarde le lieutenant inanimé.

– T'as commencé à faire le ménage sans m'attende ! me reproche-t-il.

– Ce n'est pas moi, mais madame.

Le Mammouth s'humanise.

– Compliments ! dit-il. On voye qu' vous d'vez faire d' la gym', ma poule.

– Elle est l'épouse du lieutenant.

– Alors j' comprenve son mouv'ment d'humeur ; c't' un' vraie véritab' ordure, qu' c' gazier.

Je gamberge à la vitesse grand C. Il faut que ma belle Uruguayenne parte en voyage le plus vite possible.

– Vous possédez un passeport, ma chérie ?
– Naturellement. Je l'ai même dans mon sac.
– Vraiment ? dis-je comme dans les feuilletons où on tire à la ligne.
– J'avais pensé que je m'en irais avec vous. J'ai même pris des traveller's chèques que mon père m'a donnés à mon anniversaire !
– Parfait. Foncez à l'aéroport et prenez un avion pour n'importe où. Une fois en sécurité, vous vous organiserez ensuite pour aller à Paris. Je vais vous donner une adresse où vous devrez m'attendre : je vous rejoindrai d'ici quelques jours.
Là-dessus je lui roule la pelle du siècle et elle enjambe son mec avec répulsion, comme s'il s'agissait d'une merde. Mais n'en est-ce point une ?

Je mets le Gros au courant des dernières péripéties que je viens de traverser. Il m'écoute en mangeant tous les sachets de biscuits et amandes salées que recèle le réfrigérateur.
– J'ai bouffé av'c les anges, dans leur taul' d' cloportes, fait-il, on va s'aller cogner un' briffe de pacha, mon pote ?
En attendant, il vide tour à tour : un quart

de champagne, une topette de Campari, une de whisky, et une ribambelle d'autres alcools, dont du gin, de la Marie Brizard, du rhum blanc, du Cointreau, de la fine champagne, plus des trucs bizarres, inusités dans l'hémisphère Nord où je séjourne la plupart du temps.

Lorsque j'ai achevé mon récit, Sa Majesté demande avec placidité :

– Qu'est-ce on va faire du cadav', grand ?

– Quel cadavre ?

Il désigne le cocu, toujours inanimé.

– Tu t'aperçoives pas qu' c' gonzier a avalé son bull'tin d' naissance ?

Mon cri ressemble à celui du cormoran, le soir, au-dessus des jonques, aurait dit mon vieux Michel Audiard. Je tombe à genoux sur la moquette, pose ma dextre sur la poitrine du cornard : parti sans laisser d'adresse !

Je lève les yeux sur Sa Majesté graisseuse.

Haussement d'épaules fataliste du gentleman.

– C'est le bouquet ! je murmure.

– Pour un enterrement, c' tout indiqué !

– Te rends-tu compte que nous voilà en plein goudron, Gros ?

– Faut qu'on voye !

Quelle calamité, maman ! Maria del Carmen cigogne la coquille de son teigneux et le bute. Ma pomme, le croyant seulement estourbi, engage la jolie dame à se casser. Concluse : on hérite le cadavre du mec ! Elle est chouette, non ? Tu la resserviras, le soir, à la chandelle. Déjà qu'on a une gamelle accrochée aux basques, et quelle ! Le Gros n'a-t-il pas été arrêté pour meurtre ? Le seul type qui pouvait nous sortir de la gadoue est précisément celui qui nous y a plongés. Or, il est mort ! Et son corps est en train de gésir dans MA chambre d'hôtel. Il faudrait un drôle de truc pour nous arracher à ce champ d'épandage.

Malgré son cerveau qui fait la colle, Bérurier gamberge dans des espaces marécageux, lui aussi. Faut reconnaître que t'as beau être optimiste de nature, t'as du mal à traverser une étendue semée d'embûches à ce point désastreuses.

– Et si qu'on achètererait une malle ? risque-t-il.

– Oui, mon bon. Et on dirait aux bagagistes de nous la transporter jusqu'au Rio de la Plata ?

Vexé, il va licebroquer dans la salle de bains, opération qui s'accompagne toujours chez lui d'un bruitage éprouvant : soupirs profonds, rots, pets aux riches sonorités.

Lorsqu'il revient des toilettes, il a reconquis sa sérénité habituelle.

– J'ai un' aut' propose ! annonce le Débonnaire.

– Quelle est-elle ?

– Tu veuilles bien n'aller mater par la fenêt' des tartisses, grand ? N'ensute on causerera.

Je souscris à sa demande.

L'ouverture dont il parle donne sur une minuscule courette de deux mètres sur deux, espèce de puits d'aération chargé d'approvisionner les salles d'eau et autres gogues en air et en lumière. Au fond, il n'y a rien, sinon une porte de fer qu'on ne doit ouvrir qu'une fois par décade, tant elle est rouillée. Une quantité d'objets hétéroclites jonchent le sol : résidus jetés par des clients désinvoltes, boîtes vides, tampons usagés, serviettes imprudemment mises à sécher.

Je retourne dans la chambre.

– Ça devrait jouer, admets-je, faute de mieux. Je ne crains que le bruit.

– J'aye mon idée ; attende-moi là.

Il s'absente et réapparaît très peu plus tard, écrirait Alexandre Dumas, lesté d'un édredon.

– J' l'a chouré dans un' piaule vide, explique l'Enflure. On va l' rouler autour d' ce pas beau ; il amortissera l'arrivée du môssieur.

Exécution. La ceinture d'un peignoir nous

permet de ficeler l'édredon quand le lieutenant se trouve à l'intérieur. Ne nous reste plus qu'à transporter le corps devant la fenêtre. Je file un ultime coup de périscope à l'extérieur. *Buenos !* Y a même des téloches qui tonitruent alentour.

Le Mameluk n'a pas besoin d'aide pour soulever le colis et le virguler par l'ouverture. Le cœur battant, j'écoute l'impact. Le bruit est très loin de ce que je redoutais. Il ne ferait même pas se retourner une araignée.

– C'est tout ? fait l'Alambic, également surpris.

Tout au fond, cela fait un tas informe, dans les tons incertains. Quelques pluies diluviennes, comme le sont celles de ces régions, et il ne ressemblera plus à rien.

Le bigophone carillonnant, je fonce dans la chambre.

C'est le concierge. Il m'annonce qu'on réclame le lieutenant Ramirez dans le hall.

Ma pomme, avec un aplomb que je souhaite à tous les navires de haute mer, je réponds d'un ton surpris que l'officier de police est reparti, il y a dix minutes, en compagnie de sa femme, et qu'ils ont dû descendre directement au garage pour y prendre leur voiture.

Le préposé répercute cette indication à qui réclame Ramirez, me remercie et raccroche.

Saisi d'une idée subite, selon l'expression des plumitifs vomitoires que je te causais très naguère, j'examine le plancher, découvre le pétard du cornard sous un fauteuil, le cueille par le canon à travers mon mouchoir, et vais le jeter dans la voie aérateuse.

– Et maintenant, si on irait cassegrainer ? suggère le poussah de la Police parisienne.

– On peut, consens-je.

Tu te figures que nous sommes au bout de nos peines, toi ?

Tiens ! suce !

CAPITULO CATORCE

Je graille sans prêter attention à ce qui nous est servi. Le Mammouth, qui démolit des himalayas de boustif, ne peut jacter, ce qui donne plus d'étendue à mes réflexions.

J'éprouve une cruelle impression d'échec. Venus en Uruguay pour démasquer la retraite d'un terroriste international, celui-ci est déjà retapissé et sous surveillance quand nous débarquons. Je décide d'explorer sa tanière dorée, et la police du coin le bute tandis que nous sommes chez lui, en s'arrangeant pour faire porter les soupçons sur le Gros. J'arrive à nous arracher du merdier, seulement je commets la suave imprudence de me respirer l'exquise épouse du lieutenant de la Poule. Il découvre son infortune, veut perpétrer un massacre, et sa femme le tue en voulant me sauver la vie. Nous essayons de planquer le cadavre, mais pouvons-nous espérer nous tenir à l'écart de ce meurtre ? Un homme aussi considérable ne saurait s'anéantir comme un pet né de l'histoire d'amour de Bérurier avec un cassoulet toulousain. Des investigations vont être entreprises. Ses collègues se mettront à le chercher depuis l'endroit où on l'aura vu pour la dernière fois, à savoir l'hôtel !

– Tu bouffes pas ? articule le Réprobateur en postillonnant des denrées alimentaires.

– Pas faim.

– Comment se peut-ce ? dit-il, incrédule.

– Je crois que nous sommes mal barrés, Alexandre-Benoît.

– C'est marrant : j'y pensais aussi tout en grignotant.

Il s'en enfourne une demi-livre supplémentaire, emplit son verre et boit « la bouche pleine ».

– Tu voyes, grand, m'est avis qu'on devrait quitter c' pays avant la grosse cata qu' j' pressentime.

Sa concomitance d'opinion me frappe.

Que cet optimiste invétéré prône une prompte décarrade constitue une preuve incontournable.

Je fais un signe au serveur :

– *La cuenta, por favor* !

– Et mon dessert ! proteste l'Enflure.

– Plus tard !

Quelle frénésie m'empare, brusquement ?

Une envie carabinée de prendre mes jambes à mon cou...

Une fois dehors, je gronde :

– On ne retourne pas à l'hôtel. Tu as ton passeport sur toi ?

– Oui, mais nos affaires...

– Tu ne vas pas risquer la tuile pour un slip innommable et une paire de chaussettes dépareillées !

Un taxi opportune. Je le stoppe.

– *Aeropuerto* ! lui fais-je.

Pendant la course, nous restons accagnardés, chacun dans son coin, sans parler.

Puis Bérurier crache inopinément un reliquat de saucisse datant de la semaine précédente et soupire :

– Paraît qu' le mot « godemiché » vient du latin *gaudeo mihi* qui veut dire « réjouis-moi » ; caisse t'en pense ?

– C'est évident.

Et bon, on parvient en vue de la raie-au-porc. A ce moment une bourrasque fait tituber notre sapin : deux cars de police lancés à tombereau ouvert nous doublent, emmenés par une chignole à sirène et gyrophare rotatif comme un bidet de pute.

Sa Grandiloquence me pousse du coude.

– Tu voyes c' qu' j'ai vu, grand ?

– *Yes, sir.*

– Alors ?

– C'est probablement pas pour nous.

– Oui, mais t'en es pas sûr !

Convaincu, je tapote l'épaule de notre *driver* et lui raconte que j'ai oublié les billets et qu'il nous faut revenir en ville.

Docile, il vire au carrefour suivant et repart en sens inverse.

Pour donner le change, je nous fais conduire à l'hôtel *Arapey*, règle le chauffeur et, quand il s'est taillé, m'approche de la file de sapins en stationnement. Peut-être nous alarmons-nous pour la peau ? Mais peut-être que pas. Curieuse, cette espèce de panique qui nous a bichés le Mastoche et moi. D'ordinaire, nous conservons un calme de Britannique constipé en toutes circonstances ; seulement cette fois, une sorte de traczir incoercible (dirait mon laveur de voitures maghrébin) reste fiché en moi comme une hache inoccupée dans un billot.

Ce nouveau chauffeur est un homme à cheveux blancs, aux traits aristocratiques et au regard plus limpide que l'eau d'une crique de la mer Egée.

– Pouvez-vous nous emmener à Florida ?

Bref acquiescement du vieil homme.

Je me demande s'il vivra assez longtemps pour accomplir cette course d'une soixantaine de kilomètres, car il est vachement chenu, le dabuche.

Il drive avec prudence, ce qui est normal pour un julot qui a dû dépasser les quatre-vingts carats l'année qu'est apparue la comète de Halley.

– Où qu' c' est, c' bled qu' tu nous fais mener ? demande le Gravos.

– Il est desservi par l'une des rares voies ferrées du pays.

– Tu comptes prend' l' dur ?

– Si les matuches nous coursent, c'est le mode de locomotion le plus sûr car ils penseront que nous nous esbignerons par avion, par bateau ou par la route ; jamais ils ne supposeront qu'on a pris le train dont les rares lignes remontent vers le nord.

Mister Barbaque opine.

– Bien visé, grand. T'en as dans l' chou.

Le conducteur murmure en nous matant dans son rétro :

– Vous êtes français, messieurs ?

– De la cave au grenier ! répond Sa Majesté.

– T'aurais pu lui dire que nous sommes belges ou suisses, chuchoté-je dans sa broussaille de protugaise.

– Ah ! les Français ! fait le vioque avec un accent qui sent la choucroute.

– Allemand ? lui demandé-je.

Il acquiesce.

– Lors de la défaite vous êtes venu en Uruguay ?

Il ne répond pas.

– Depuis le temps, vous devez bénéficier d'une amnistie, non ?

– Les crimes de guerre sont imprescriptibles, répond-il. Et puis ma vie est ici désormais. J'ai épousé une femme du pays, elle m'a fait des enfants qui, eux-mêmes, m'ont donné des petits-enfants...

Je m'abstiens de lui parler de son passé merdique. C'est si loin, maintenant, que tout le monde a le droit de mourir oublié.

Le manège du Gravos, d'ailleurs, capte mon attention. Il se détronche pour mater dans le rétro extérieur du vioque.

– Qu'est-ce qui t'intrigue ? lui fais-je.

– Retourne-toi pas, Antoine, mais j' sus sûr qu'on nous filoche. Un' tire sport bleue, capotée.

Je fais des efforts pour tenter de repérer le véhicule en question dans la lame de mon couteau et y parviens indifficultueusement. Effectivement, je découvre une vieille Jag pervenche à capote noire parmi le flot qui roule derrière nous. Je pige pourquoi Gras-double l'a remarquée : nous avançons à petite vitesse et sommes doublés sans arrêt par les tires survenantes. Seule l'une d'elles reste sagement à quelque distance de notre sapin, sans la moindre velléité de dépassement.

Pas besoin d'avoir fait ses classes à la D.S.T. pour réaliser que cette Jag d'un modèle périmé (mais une chignole de prestige se périme-t-elle ?) calque son allure sur la nôtre. Son pare-brise *éclaboussé de soleil*, diraient douze mille romanciers plus surdoués que moi, m'empêche de visionner ses occupants, d'autant qu'il n'est guère judiciable d'observer ses arrières dans une lame.

– T'es d'ac ? murmure le Soufflé.

– *Yes*, mec.

– Que conclus-t-il-tu ?

– Qu'on ne va pas traîner cette escorte d'honneur jusqu'aux Champs-Elysées.

– J'y voye qu'on diffuse su' la mêm' longueur d'onde, déclare mon indispensable Sancho.

On file sur une large route bordée d'arbres tropicaux. Des maisonnettes et des pubs s'échelonnent sur des étendues de céréales. Des mecs vêtus de polos criards vendent des boîtes de Coke et de jus de fruit le long des talus. Des véhicules agricoles titubent à travers la plaine, rouges ou jaunes, pilotés par des gars portant des chapeaux de paille.

Le Mastoche tapote l'épaule de Mister Gestape.

– Quand c'est qu' vous verrerez un endroit qu'on peuve boire, arrêtez-vous, mon brave.

– *Jawohl*, fait l'Uruguayen d'adoption.

Il roule encore sur une dizaine de kilomètres et ralentit pour s'engager sur le terre-plein d'un établissement largement vitré dont on a déjà éclairé l'enseigne, malgré le jour persistant.

Celle-ci, d'inspiration nord-américaine, représente une *cow-girl* vêtue d'une jupette, chaussée de bottes et coiffée d'un sombrero. Elle a les jambes écartées et, du pouce, invite les tomobileurs à entrer.

Le vieux pépé « nazillard » accepte le *cortado* que nous lui proposons. Il marche tout raide, traînant un peu la jambe gauche qui renâcle pour suivre la droite.

– Rhumatisses ? questionne l'Indicible.

Mais non. Il explique qu'un salaud de maquisard l'a seringué dans le Vercors d'une rafale de mitraillette, jadis, et qu'il a failli être amputassé. Le môme a été bien puni puisqu'on lui a arraché les yeux à l'aide d'une cuiller à café aux bords aiguisés et qu'on a empli ses orbites évidées avec de la moutarde de Dijon.

Il rit. Ses potes, par la suite, lui ont raconté

la scène œdipale : ça valait le déplacement depuis Hambourg.

On se choisit une table au fond, près des toilettes.

Après avoir fait l'emplette au rade d'un verre de maté, je me rends aux cagoinsses. Bête comme chou : au fond du local, une porte verrouillée donne sur les champs. Merci une fois encore à mon gentil sésame !

Depuis l'angle de l'établissement, je donne un coup de périscope : la vieille Jag est rangée près d'un camion chargé de peaux de vaches qui chlinguent nettement les abattoirs. Plié en trois, je me déplace à l'abri des véhicules à l'arrêt.

Quand j'atteins la chignole bleue, je constate que sa portière côté conducteur est ouverte. Des jambes de femme et de la fumée en sortent.

M'en approche, car elles paraissent comestibles.

LA VOIS !

La voix me manque.

Tu sais qui ? Pamela Right !

Elle a un léger soubresaut en constatant ma surgissance.

– Mes hommages, jolie Anglaise, je lui fais-je-t-il comme ça. Vous prenez le frais ou si vous attendez qu'il soit plus tard ?

A sa stupeur succède la haine. Son gentil minois se distord tel un masque de caoutchouc qui représenterait la *Queen of England* et sur lequel le duc de Windsor se serait assis par mégarde.

Elle a un cri du cœur qui me va droit à l'oigne :

– Je vous déteste ! Vous êtes un misérable, un être abject !

– Peut-être, ma belle, mais pratique. Et dans mon job, on ne vit pas vieux quand on ne l'est pas. Vous avez cherché à nous nuire depuis notre arrivée à Montevideo. En fait, nous sommes venus sur les instances de Raidcomebar, uniquement pour servir de boucs émissaires. Le gars que vous avez voulu... neutraliser devait l'être par des services n'ayant rien de commun avec les vôtres. Les pauvres Franchouillards convenaient parfaitement à ces sombres desseins.

Elle a un rire tellement aigre qu'il ferait tourner le lait dans le frigo.

– Vous êtes présentement recherché pour meurtre, me déclare-t-elle. Celui d'un lieutenant de police important ! Vous l'avez tué dans votre chambre et défenestré.

Boudiou ! On est coinçaga dans les grandes largeurs ! Comment a-t-elle pu, si vite, découvrir le corps de Ramirez ?

Et puis ça s'éclaire sous ma coiffe. Un détail me revient : notre première rencontre dans ma piaule où elle se trouvait sans s'être fait annoncer.

Elle dispose d'une chambre dans notre hôtel ! Elle habite sur place pour mieux nous surveiller. Si bien qu'elle a pu observer nos faits et gestes, y compris l'escamotage du corps.

Cette fumière, ivre de vengeance, a prévenu les flics, et à cette heure nous sommes pour les autorités uruguayennes, voire pour toute la population, deux dangereux assassins en fuite ! Des tueurs de perdreaux ! Ya yaille, il va pleuvoir des bombes atomiques sur nos destins ! La peine de mort existe-t-elle en Uruguay ? Téléphone à S.V.P. de ma part, ça m'intéresse.

Mon expression basue en dit long sur la portée de cette révélation et la salope biche comme trois pensionnaires d'internat en train de se masturber devant la photo d'Antoine de Caunes : celle où il a une mèche qui lui tombe sur l'œil et où il rit avec l'air confiant en l'avenir du mec qui s'en traîne une chouette dans le bénoche.

Satisfaite, elle empare son sac à main posé sur le plancher de la tire, l'ouvre, en sort une photo qu'elle me présente.

– Chacun son cliché, fait-elle.

Celui-ci est auréolé de flou sur ses bordures, mais nous représente clairement, le Mammouth et ma pomme, agenouillés devant le cadavre de Ramirez, prêts à le linceuiller avec l'édredon. Comment diantre cette garce vomique est-elle arrivée à prendre cette scène d'intimité ?

En matant attentivement, je conclus que la chose s'est faite par le trou de serrure.

– C'est technique, réussis-je à articuler en lui rendant l'image. Vous possédez un objectif déflagrant à pulsion subintrante ?

Elle remet son réticule en place.

J'enchaîne (d'arpenteur) :

– Un détail me turluzobe dans votre comportement, chère amie sodomite : je me demande ce qui vous a incitée à nous suivre alors que vous pouviez illico nous livrer à la police d'ici ? Vous pensiez nous faire arrêter à quel moment, ma chérie ?

Elle sourit.

– Chacun a ses secrets, mon cher.

– Oh ! Pamela chérie ! Des cachotteries à son vieux *french boy* ?

Là-dessus quelqu'un me tapote l'épaule là où mon tailleur n'a pas à mettre de rembourrage.

Je décris un arc de cercle et me trouve face à un gonzier à l'air con et navré, donnant à croire qu'il s'agit du prince Charles. Mais non, c'est un autre glandeur au pif interminable et au regard de basset *hound*, avec de la couperose aux pommettes et de la farine aux cils. Il porte une veste prince-de-galles qui accentue le mimétisme. Ses étagères à mégots sont immenses comme des antennes paraboliques.

Il me toise avec une indifférence qui ressortit de la méchanceté la plus froide.

– Vous désirez ? je lui fais en anglais.

Il se tourne vers sa coéquipière et murmure :

– Ça ne va pas, Pam' ?

– Rassurez-vous, George : nous bavardions, mister San-Antonio et moi.

Il a un bref hochement de menton et fait un pas en arrière, semblant se désintéresser de ma présence.

– Et maintenant, je soupire, on continue la guerre de Cent Ans ou on commande des œufs au bacon ? Je suppose que vous n'allez pas me suivre jusqu'à la Saint-Trouducul, ce serait inconfortable pour tout le monde, non ?

Elle a cette moue qu'ont les dames à qui tu demandes si elles sucent complètement ou bien si elles confient leur récolte au lavabo.

– Bonne question : je réfléchis.

– Peut-être puis-je vous aider à décider ?

Et tu sais quoi ?

Je lui adresse un baiser du bout des lèvres, ponctué d'une œillade friponne. Pourquoi, en certaines circonstances gravissimes de notre existence, s'opère-t-il inopinément une brusque détente ?

Là voilà qui se met à rire.

Puis, tout à trac :

– Je vous ai menti : la police d'ici ignore tout de votre crime.

La phrase me soulage et me fait tiquer simultanément. « Mon crime ! » Elle envoie le bouchon trop loin, l'Anglaise. Enfin, ce qui prime c'est que nous ne soyons pas coursés par les Uruguayens.

Cependant, je revois les cars de poulets se ruant vers l'aéroport.

Le lui signale.

Elle écarquille sa prunelle frangée de bleu pervenche.

– Comment ! vous n'êtes pas au courant ? dit-elle.

– Non ! Disez, ma toute belle, disez tout et vite !

– Il y a eu un attentat en fin de journée contre le président Gomenolez : une bombe a explosé sous sa voiture alors qu'il allait dîner à l'ambassade des États-Unis !

– Il est mort ?

– Seulement son chauffeur. Lui a été blessé

au visage par des éclats, mais ses jours ne sont pas en danger.

Je médite en bref.

– En somme, dis-je, l'Uruguay est un pays tranquille où il se passe toujours quelque chose.

CAPITULO QUINCE

Et puis nous demeurons immobiles, à nous filer des regards en chanfrein. Elle pèse le pour, moi le contre. C'est poilant, deux tagonistes plus ou moins avoués qui se jouent une comédie dont ils n'ont pas appris le texte. Au fond, la seule bonne question dans notre affaire est celle-ci : amis ou ennemis ? Guerre ou paix ?

– Chérie, pourquoi me suiviez-vous ?

Elle hésite. Puis ses yeux s'enfoncent dans les miens.

– George, dit-elle à son équipier, et ce sans même se tourner vers lui, soyez gentil : laissez-nous un moment.

Docile, l'agent à tronche de Charlot s'éloigne.

Me voilà, pour lors, tout encuriosé. En effet, l'expression de Pamela s'est modifiée. Deux rides plus que précoces transforment son front en chèque barré.

– San-Antonio, balbutie-t-elle, il m'est arrivé une histoire inouïe.

Par correction, pour unissonner, je lui produis une tronche d'ordonnateur des pompes funèbres qui s'est gouré dans les mesures.

Elle marque un silence que je respecte comme s'il avait lieu à l'Arc de triomphe, en présence du président de la République et de ses porte-coton.

J'attends la suite, sans la presser de questions.

Elle fait, d'une voix voilée comme la roue de vélo d'un coureur du Tour de France venant d'emplâtrer une borne kilométrique :

– Je suis désespérée. A qui pourrais-je confier ma détresse sinon à vous qui ne me faites pas de cadeau, mais dont, pourtant, je pressens l'humanisme ?

Oh ! lala ! La bouilloire du thé se met à chanter, les mecs. Où-ce qu'elle veut-elle en venir, cette jolie Britanrouille de mes deux chéries ! Mon instinct me dit qu'elle est sincère, en vertu de quoi je lui laisse renverser son sac à malice.

– Voyez-vous, murmure-t-elle, lorsque j'étais adolescente, j'ai subi les manœuvres d'un ami de ma famille qui m'a déflorée. Dans ces cas-là, les filles sont définitivement traumatisées, mais gardent le silence, c'est connu.

En me violentant, cet homme a détruit mes rêves, mon idéal, ma foi en l'avenir. Si j'en avais eu le courage, j'aurais mis fin à mes jours.

Cette fois, des larmes lui viennent. Je me dis alors qu'elle est, soit une tragédienne de grand style, soit une femme désemparée.

Compatissant comme un Samaritain de la Samaritaine de luxe, je cueille son menton anglais dans ma main française et dépose un baiser effleureur sur sa bouche.

– La souillure qu'un homme inflige à une petite fille est une honte pour tous les individus de sexe mâle, dis-je avec un ton que la reine des Belges en bédolerait dans sa culotte de soirée.

Elle saisit ma dextre et la presse dans un élan tel que j'en ai la couille droite qui se fripe à l'instar du faf à train qu'on s'apprête à utiliser. Elle repart dans ses confidences.

– Depuis cette ignoble meurtrissure, j'ai pris l'amour physique en horreur. J'ai tenté de passer outre ma répulsion. Mais chacune de mes expériences fut plus douloureuse que la précédente. Et puis j'ai cédé à votre collaborateur...

– Le Gros ?

– Lui ! Quand il m'a découvert l'énormité de son sexe, j'ai failli hurler de peur. Mais je ne sais quel diable m'a poussée à refréner ma panique et à lui céder. Un confus besoin d'aller jusqu'au bout du dégoût ? Je l'ignore. Toujours est-il que, d'atroce au début de l'étreinte, notre copulation est vite devenue fabuleuse. Pour la première fois de mon existence, j'ai connu le plaisir ; et quel !

« Dès l'instant où nous sommes parvenus à nous désunir, je n'ai plus eu qu'une idée fixe : recommencer ! J'en deviens folle, San-Antonio. Je veux qu'il me pénètre à nouveau, avec cette puissance qui vous démantèle. D'en parler, m'inonde complètement. Je suis un brasier. Je préférerais mourir plutôt que de renoncer à son formidable membre. »

Ayant dit, elle, la fille d'Albion, si maîtresse d'elle-même, éclate en forts sanglots qu'elle étanche à mon veston.

Ahuri, ému aussi, je lui tapote le dos en proférant des mots consolationistes. Lui dis combien je suis aise de la savoir sauvée de la frigidité. A quel point je l'engage à persévérer dans la voie du braquemard. Je l'assure de la constance d'Alexandre-Benoît. Elle peut compter sur lui : il lui prodiguera sa ration de betterave sans compter. C'est un phénomène ! Un mâle inépuisable, susceptible de tirer une dizaine de coups dans une journée. Il va lui mettre la chaglatte en lambeaux ! Ses légumes, il en fera une décoction, à coups de pilon, le bougre ! Surtout qu'elle prenne bien garde de ne pas s'étouffer à l'oral. Un jour, le Mastard ne pouvant retirer son gland de la bouche d'une institutrice libre, elle a failli périr d'asphyxie. On l'a sauvée de justesse par une trachéotomie, la pauvrette. Piper un gazier calibré de la sorte est aussi dangereux que de faire un safari avec Michel Droit.

Elle m'écoute religieusement en se caressant la motte de sa menotte.

– Donc, reviens-je-t-il à nos moutonsses, c'est pour ne pas perdre mon collaborateur que vous vous êtes lancée dans cette filature ?

– J'ai convaincu mon chef qu'il ne fallait pas vous laisser disparaître.

– Pourquoi êtes-vous flanquée de ce grand connard qui ferait penser à une lance de jouteur s'il ne ressemblait tant au prince Charles ?

– Il m'a été imposé pour garantir ma sécurité, car sir Raidcomebar se méfie de vos réactions.

Un nouveau temps mort, manière de trier un peu ce qui vient de se dire et d'établir un classement préalable.

– J'ai une question, murmuré-je.

Elle me regarde. Ses beaux yeux sont encore noyés (ou baignés, au choix) de larmes. C'est fou ce que cette fille de tête, aguerrie, formée à l'aventure et aux dangers, paraît infiniment faible, tout à coup.

– Il s'agit de Kurt Vogel, ma petite chérie. Je ne trouve pas très catho ce qui lui est arrivé. Son exécution a-t-elle été programmée par vous autres, Britanniques ?

– Absolument pas ! rebiffe-t-elle violemment.

– C'est donc une décision de la police uruguayenne ?

– Aucun doute.

– Vous voulez dire que le lieutenant Ramirez a profité de ce que je perquisitionnais sans autorisation chez Kurt pour le faire ramener chez lui et liquider ?

– Ça vous semble inconcevable ? Vous l'ignoriez peut-être, mais cet officier de police a une réputation de coquin. Il fournissait son supérieur en fric et en filles, ce qui lui permettait d'être l'éminence grise de la Maison.

Elle gamberge.

– Je pense que l'attentat contre le président Gomenolez tombe à point nommé pour vous.

– ?... ?.. ?... ! dis-je.

– Réfléchissez : Ramirez disparaît au même moment. De là à ce qu'on imagine qu'il est l'instigateur du coup de main...

– Bon Dieu !

Elle sourit.

– Donc, vous avez le champ libre jusqu'à nouvel ordre.

– Le champ libre pour faire quoi, exquise amie ?

– Pour éclaircir cette affaire Vogel qui nous laisse tous sur notre faim.

– Tandis que vous enfilerez le parfait amour avec le bel Alexandre-Benoît ?

Elle rosit comme Varte[1].

– Puisque je suis en veine de confidences, je vais vous apprendre quelque chose, murmure-t-elle.

– Merci pour la confiance.

– Les photos que vous m'avez adressées m'excitent comme une folle. J'en ai tapissé ma salle de bains et je me caresse en les regardant.

– Chacun prend son plaisir où il le trouve, philosophé-je.

1. Tiens, en voilà une qui a du talent.

CAPITULO DIECISEIS

Nous avons libéré le vieux taximan allemand et sommes revenus à quatre dans la Jag de Pamela.

Chemin faisant, je pensais à tous nos faux départs, que dis-je : à nos faux pas. Ces fuites qui tournaient court, ces initiatives qui me retombaient sur le museau, ces rencontres de gens qui n'étaient pas ce qu'ils paraissaient être, tout cela me troublait.

Ainsi, en ce moment, l'Anglaise joue-t-elle franc-jeu avec sa passion pour la queue d'âne du Mastard, ou interprète-t-elle le rôle émouvant de « Dessous de violée » ? D'accord, ses larmes semblaient de bon Éloi et il eût été inconvenant qu'elles ne correspondissent pas à la réalité ; mais sait-on *never* ? comme ils disent en Grande-Albionie. Je décide de voir et d'attendre. Prudence et sourire.

Elle pilote avec maestria. Personne ne

cause. Peu avant Montevideo, nous sommes contrôlés par un barrage de police, suite à l'attentat contre le président. Les flics examinent nos passeports à travers leurs lunettes de soleil inutiles à cette heure, puis nous laissent tailler la route.

La nuit de velours a des teintes violines. Un grand écrivain de ma circonscription la réputerait « cloutée d'étoiles », et il aurait raison, le con !

On fait retour à l'hôtel. Miss Prendubraque abandonne la chignole à son coéquipier et rentre en notre compagnie. Elle a le cul serré par l'impatience. Se déplace à l'allure d'une cheftaine scoute. Ce chibre béruréen elle le voit gros comme une maison de retraite. S'en claque la moniche par la pensée. Elle a tellement besoin de se faire colmater la brèche qu'elle en gémit quand elle respire.

– Je pense que tu vas vivre un moment de haute qualité, soufflé-je à l'oreille de mon Débridé.

Il acquiesce, la lèvre suintante et, je suppose, la guitoune aussi.

D'ailleurs, l'on-dix-raies qu'il a planqué un jéroboam de vin dans son bénouze. Il va avoir du mal à s'extrapoler Popaul, je te l'annonce.

Je les quitte devant la carrée du taureau normand.

– Un conseil, murmuré-je en les abandonnant à eux-mêmes : lubrifiez-vous avant de démarrer, si vous voulez éviter de nouveaux désordres.

– Fais-toi pas d' soucilles, me rassure le Musclé : y a des p'tites boîtes d' beurre dans l' frigo d' la piaule. T'as b'soin d' moive tôt, d'main ?

– Pas que je sache.

– Tant mieux, biscotte ma p'tite Rosbif va avoir droit à la troussée du siéc'. C't' fois, j'y déballe l' grand jeu, qu' même les impérateuses d' Russie ont jamais connu d' cosaqu'ries pareilles. Dès qu'on nous aurera livré les boutanches de champ' qu' je projette, j'accrocherai l'écriteau « Dou note masturbe » au loquet. Si t'entendrerais gueuler d' trop, émeuve-toi pas : c' s'ra Médème qui grimp'ra aux rideaux.

Me voici seul, une fois de plus.

Je boutonne la porte de ma turne et vais filer un coup de périscope par le fenestron de la salle d'eau. Au fond de l'espèce de puits, j'aperçois, grâce à la clarté lunaire, la tache de l'édredon.

Pas de tracas de ce côté-ci.

Me brosse les chailles. Tiens, je souffre d'un tabouret quand je frotte trop énergiquement : une prémolaire qu'en a marre de ma gueule. Tout lasse, tout passe, tout casse, qu'elle aimait à dire, mémé. Elle en avait des tinées de ce module, qui s'adaptaient à toutes les circonstances de la vie, bonnes ou mauvaises.

Une fois toiletté, je me zone, à loilpé. J'adore dormir nu quand les conditions atmosphériques le permettent. Je reviens à l'état fœtal. Si j'ai assez d'énergie, au moment de clamser, j'adopterai cette position : la plus confortable qui soit accordée à l'homme. Partir comme on est venu, ce serait élégant, non ? Même si t'as fait pipi dans ton linceul en embarquant.

Une lumière indécise filtre à travers les rideaux.

Pour la fuir, je file ma pipe sous l'oreiller. C'est une bonne précaution car les clameurs coïtales commencent dans la chambre voisine : le rodéo promis par Sa Majesté à sa belle. Et encore est-elle pour le moment seule à donner de la voix. Mister Bigbite, lui, se réserve pour plus tard. Il doit l'entreprendre à la langoureuse, avec des combines pas catholiques : feuille de rose, pouce dans la craque, seconde paluche en omniprésence sur les loloches. Je le connais, son répertoire de gala, Bérurier. Un grand sabreur quand on ne chipote pas sur les nuances ! Son manuel est vachement exhaustif dans le genre. Très apprécié. Les intellectuelles sont même plus enragées que les autres sur ses manigances, au Boyard de Saint-Locdu-le-Vieux.

Me désintéresse de leurs prouesses matelassières, Pamela et le Monceau. Reviens à ma « mission », si tant est qu'on puisse ainsi qualifier ma venue dans la Sud-Amérique.

Il s'est manigancé un monstre coup à mon insu, c'est *claro !* La Volaille de Montevideo attendait une occase de liquider Vogel qu'elle tenait en haute surveillerie. Y a eu nous deux, Big Apple et mégnace. Le coup a été joué comme à la flûte de Pan. Seulement, écoute, ô ami lecteur dont la fidélité me prend aux burnes : les flics n'ont pas agi pour leur compte ! Ce salaud de lieutenant a œuvré au service de gens qui voulaient la mort du terroriste. Quels gens ? A première vue, il devrait s'agir des Rosbifs. Ne sont-ce point eux, comme on dit dans la « gintrie », qui ont mis au point ma venue ici ?

C'est chiatif de ne pas savoir d'où vient le danger. On est certain qu'il existe. On en a la preuve, on le renifle, seulement un brouillard l'entoure de « flou artistique » et l'on ne sait plus à quel singe se vouer, disait une dame qui travaillait comme guenon dressée dans un cirque.

Un autre truc qui me pollue le système nerveux, c'est le coup de ma photo dans la penderie de notre client. S'agit-il d'un détail chargé de m'impliquer dans l'affaire ? Ou bien le tueur international se méfiait-il de moi ? Si c'était le cas, c'est qu'on l'avait averti de ma venue à Montez-vider-l'eau. Mon portrait d'intello de l'action était chargé de lui rappeler mes traits harmonieux et mon regard clairvoyant.

Ayant supputé d'abondance, je glisse dans les répareries du sommeil bienfaisant prôné par les bonnes gens dont l'unique préoccupation, quand ils se pieutent, est de savoir s'ils ont fermé le gaz et tiré la chasse des cagoinsses après usage.

C'est pas que la vie soit marrante, mais on finit par s'y habituer. Quand ça boquille, on se dit que ça pourrait marcher plus mal. Faut toujours attendre : nuit, lumière ; joie, peine ; réussite, échec. Un gentil carrousel. La merde fertilise les roses, et malgré tout les roses sentent bon. Quel bonheur que d'être heureux !

Combien de temps dormis-je ? Ça c'est la question à dix points. Au moment où je m'éveille, je suis en train de gésir sous mes draps. Le couple infernal d'à côté a cessé ses clameurs jouissales. M'est avis que notre potesse anglaise doit endolorer de l'entre-deux ! Après la troussée d'Attila, les poils pubiens ne repoussent plus. Elle va devoir se faire confectionner une prothèse, à la rigueur se coller une houppette sur le triangle de panne.

Je me mets à rembobiner ma pensarde.

Il est rarissime que je me réveille brusquement, sans raison extérieure.

J'en ressens comme un mal-être. Mon guignolet chamade un brin. Est-ce la conséquence d'un cauchemar dont j'ai tout de suite perdu le souvenir et qui me laisse cependant un trouble indéfinissable ?

Alors, un élément archimenu s'opère. Ça commence à partir de combien de décibels, un bruit ? Ce que je perçois est si ténu que cela ressortit davantage de la prémonition que de l'ouïe.

Je m'assieds dans mon lit. La chambre n'est obscure « qu'à première vue », si j'ose dire. Les lumières extérieures s'y faufilent par mille et une minuscules brèches. Je regarde avec tant d'intensité que je finis par découvrir ce qui cloche : depuis le couloir, quelqu'un glisse quelque chose sous ma porte. Un papier, probable. Je quitte ma couche.

Sur la moquette épaisse, mes pattounes nues se déplacent à pas feutrés.

Je finis par apercevoir ce qu'on introduit clandestinement dans ma carrée. Tout de suite, je prends ça pour une ceinture de cuir. C'est long, plat et peu large. Cela s'insinue lentement dans la chambre, sorte de bizarre reptile. Des points d'interrogation se perchent sur ma curiosité comme, à l'automne, les hirondelles sur des fils électriques avant leur grande décarrade vers le soleil.

J'ai beau mater ce machin rampant dans la pénombre, je ne parviens pas à l'identifier. Te dire que, maintenant, je suis éveillé de la cave au grenier est superflu. Une énergie du tonnerre me parcourt. C'est la vraie ligne à haute tension, ton Sana, darlinge.

Je cueille le bistougnet du verrou entre pouce et index. Parfaitement opérationnel, il coulisse sans bruit. Après quoi, je biche la poignée de la porte, l'assure bien dans ma paume, la fais pivoter et le tire à moi de toutes mes forces.

La lumière de noye du couloir me découvre un individu loqué d'une combinaison brune et coiffé d'un bonnet de laine enfoncé jusqu'à l'arête de son tarbouif. Pris de court, il amorce néanmoins deux mouvements à la fois : il tente de se mettre debout et de sortir une arquebuse de sa vague. Bibi ne lui laisse pas le loisir d'exécuter ces projets. D'un terrible coup de talon sur la glotte, je l'étale. Puis lui saute sur l'estomac à pieds joints. Le claquement d'un pneu éventré par un tesson de bouteille, il produit.

Je danse sur son bide et ses claouettes une gigue siouze. Je ne l'ai pas défrimé, mais déjà je le trouve antipathique, Gaston. Le lui prouve en shootant derechef dans ses parties nobiliaires. Cette fois, il est inscrit d'office aux abonnés absents.

Je profite de ce temps provisoirement mort pour retirer le détonateur planté dans le plastic qui a été glissé sous ma lourde. J'adresse au Seigneur une action de grâces dont je me suis déjà servi mais qui reste encore très présentable. Si je n'avais le sommeil aussi léger, j'aurais peut-être achevé ma nuit morcelé dans un drap de lit noué aux quatre coins. C'est cette découverte du plastic qui a déclenché ma fureur et m'a poussé à lui servir une infusion de coups de latte.

Je récupère les différents éléments de la machine infernale et vais tambouriner à la porte bérurière.

Le Mammouth met un bon moment à se débrumer. Pendant qu'il s'arrache aux rets de la dorme, je file un nouveau taquet sur le cervelet du dynamiteur. Belle Pomme survient enfin, déguisé en baril de pétrole, son interminable bec verseur heurtant ses genoux.

– Caisse y t'arrive ? s'enquiert l'Homme-au-gros-moignon.

– Fringue-toi d'urgence et viens m'aider ! réponds-je en lui désignant le pégreleux inerte.

Il passe sa hure dans le couloir, voit, renifle, pète, se fourbit les burnes, rote, renifle, repète, soupire et déclare sobrement :

– Je licebroque et j'arrive, mec !

CAPITULO DIECISIETE

De la bricole.

Chiante.

Y a fallu coltiner mon dynamiteur au sous-sol, en prenant l'ascenseur servicial. Une fois dans le garage, chouraver une tire : l'embarras du choix. On s'est offert une Range verte immatriculée en Argentine. Simple emprunt. Ne nous la fallait pas très longtemps. Seulement s'évacuer en un lieu peinard.

On a trouvé notre affaire dans l'arrière-pays, en prenant la route de Minas. Un chemin de terre s'est présenté, qui nous a menés dans une contrée verdoyante mais déserte. Des pâtures moutonnaient à perte d'ovule. On a avisé une sorte de hangar à bestiaux démantelé, sur la droite. Ça nous convenait idéal. Le toit affaissé laissait passer une lune de carnaval, bien suffisante pour éclairer la remise.

Une fois dedans, on a fait asseoir notre prisonnier sur le siège rouillé d'un reliquat de moissonneuse. Il avait les mains dans le dos. J'ai ôté un bracelet de son cabriolet à deux places, le lui ai fixé à nouveau après l'avoir passé autour de la tige de sa chaise flexible.

Il n'en menait pas large. C'était un type assez jeune : la trentaine, peau mate, poils durs, regard sombre et sournois. Des cicatrices barraient ses joues. Ce gazier avait joué du lingue plus souvent qu'à son tour. Il s'efforçait au calme, mais on le sentait préoccupé. Les taquets dont je l'avais criblé, dirait le Donjon, bleuissaient déjà.

M'étant muni de son petit matériel de dynamiteur, j'ai placé la charge de plastic sous ses miches après avoir réglé le détonateur.

Nous ne mouftions pas. Certes, Béru craquait des louises, mais il s'agit là d'une conversation unilatérale des plus sommaires.

Lorsque mon petit théâtre de verdure a été au point, j'ai expliqué à ce visiteur nocturne que l'unique manière dont il disposait pour préserver ses génitoires, était de répondre docilement à mes questions. Que s'il s'y refusait ou bien s'il nous mentait, son trou du cru allait devenir aussi vaste que l'entrée du tunnel sous la Manche. Que s'il ne jouait pas le jeu au cordeau, ce serait une aubaine pour les croque-morts du patelin. Tout ça...

Il m'écoutait en s'efforçant à l'impassibilité, mais son bénouze sentait la merde et ses dents, à son insu, produisaient un bruit de scie à métaux en action.

– D'accord ? lui ai-je demandé.

Il a acquiescé.

J'ai répété malgré tout :

– D'accord ? ? ?

– Faut que j'interviende ? s'est enquis mon valet de gnons.

Mais le mec a dit : « *Si* » et, du geste, j'ai endigué le Typhon. Docile, il a desserré ses poings.

– Qui es-tu ?

– Alonzo Troquez.

– Métier ?

Ma question lui a paru saugrenue car il est resté un moment silencieux avant de hausser les épaules :

– Pas de métier.

– Quelqu'un t'a chargé de mettre ce plastic dans ma chambre ?

– *Si, señor.*

– Qui ?

– Le lieutenant Ramirez.

– Quand ?

– Hier soir.

– C'est lui qui t'a fourni le matériel ?

– Non.

– Tu « travailles » pour lui ?

– Quelquefois.

– Qu'est-ce y dit ? s'inquiète le Furibard.

Je lui rapporte la brève confession du malfrat.

Mon pote déclare :

– N'au plus j'en apprends su' c' flic pourri, n'au plus j' trouve qu' sa bergeronnette a eu raison d'y défoncer l' capot.

Un court instant j'évoque la lascive Maria del Carmen. J'espère qu'elle a pu se carapater, la chérie. Marrant qu'on soit tombés sur deux superchampionnes de la baisance, le Gros et moi. De vraies épées dans leur genre, l'Anglaise et l'Uruguayenne. Fumelles *for ever* !

Je fais signe à mon éminent collaborateur de me suivre au-dehors : l'espagnol et le français sont des langues latines faciles à saisir quand on prête attention, je préfère qu'Alonzo n'entende pas ce que j'ai à dire.

– Ce connard me pose problème, déclaré-je, une fois sortis de la grange.

– Vouaille, maille dire ? demande mon Sancho Pança dans ce qu'il pense être la langue de Shakespeare.

– Si je le libère, il va courir à la recherche de son « commanditaire », le sale Ramirez, décédé en secret.

– Y l' trouverera pas ! prophétise mon compère avec un bon rire d'honnête citoyen.

– Si, comme je l'espère, les autorités concluent que ce vilain mec de lieutenant est impliqué dans l'attentat contre le président, ils cuisineront notre glandeur ; celui-ci s'affalera et on aura une fois encore les draupers sur les endosses. Franchement, son retour à la vie civile, je le sens pas.

– Tu veux que j'y craque les cervicales ? propose obligeamment Alexandre-Benoît pour qui nécessité fait loi.

– Dis, Gros, nous ne sommes pas une entreprise de dératisation !

– T'es marrant, Sana. Tu veux ni faire ni laisser faire !

Il dévide sa trompe pour une nouvelle miction nocturne, assortie des bruits que tu sais.

Puis :

– C't' masure est à l'écart de tout : y a qu'à l'abandonner ici, bien ligoté et muselé. Y peuv' tiendre des jours sans briffer ni écluser. Quand on aura les pieds au sec, tu turluteras aux pandores, leur espliquer qu'il est laguche !

– Dans le fond...

– C'est la deuxième soluce, affirme Alexandre-Benoît, y en a plus d'aut'. Maint'nant tu choises !

– C'est vendu !

***

Une plombe plus tard, nous sommes de retour à l'hôtel. La Range a retrouvé le parkinge et nous nos litières.

Vaincue par les débordements amoureux de son partenaire, Pamela gît en louve de fusil dans la couche du Gros, pleine d'odeurs légères.

Il m'est duraille de retrouver le sommeil après un tel intermède nocturne. Alors, que veux-tu, je cogite. C'est notre malédiction, à nous autres, intellectuels de haut niveau. Toujours ces idées grouillantes qui s'acharnent sur notre cerveau et le mettent en pièces. Ah ! être vraiment stupide pendant une heure pour laisser refroidir sa boîte à pensées !

Une petite voix me susurre des trucs. Elle dit : « Qu'attends-tu pour te tailler de ce bled, bougre de grand glandeur ? Tu sens pas qu'il va vous choir la grosse couillance sur les endosses d'une minute à l'autre ? T'as un cadavre de perdreau supérieur quelques mètres sous toi ; tu viens de neutraliser un voyou que le premier paysan venu va délivrer et l'Infect vous fera porter un bada plus large qu'un chapeau de gaucho ! Vous avez été inquiétés pour l'assassinat de Kurt Vogel et ce n'est qu'en faisant pression sur Ramirez que vous vous en êtes tirés, seulement Ramirez est clamsé !

Mais, putain de bois, cassez-vous, mes gueux, pendant que vous en avez la possibilité ! Quand le vent tournera, on vous accusera de tout, y compris d'avoir attenté à la vie du président ! Ton attitude est suicidaire, grand. D'autant que demeurer ici ne rime plus à rien puisque l'homme que les Rosbifs vous ont demandé de retrouver est viande froide ! »

Si j'avais de la jugeote seulement gros comme un poil de derche, je retournerais chercher Big Apple et on s'engouffrerait dans les azurs ! Mais voilà, mon petit lutin personnel intervient. C'est un léger chuchotis. Il dit : « Ne cède pas au traczir, Antoine. Conserve ton chou et ton sang-froid. La vraie partie n'a pas encore démarré. Tout ça n'était que les hors-d'œuvre, un préambule. Si vous jouez rip, t'auras jamais le fin mot de l'histoire. Rappelle-toi ce que je te serine depuis toujours : “ Il faut tenter d'apercevoir ce qu'il y a derrière la réalité. ” »

Je l'ai à la caille, moi, entre mon lutin et ma « voix de la raison ». Qui, des deux, me chambre ? A qui faut-il obéir ?

Je pense que les fins de nuit portent conseil, aussi me pelotonné-je entre les draps. Je glisse doucettement dans les abysses quand une grande clameur fumelle me repêche :

– *Darling ! No* ! Tiou défonce *me* ! Elle est

too much! It's not possible! But she is even bigger! Help! Help! You kill me! Stooooop! God save the Queen! It's in! Again, again, again! Yes! Be quick about it! Oh! yes, yesssssssss! Brwrrrwwweeee!

Les hystéreries cèdent la parole aux cris du sommier survolté.

Dieu est bon, qui me permet néanmoins de me rendormir.

CAPITULO DIECIOCHO

Elle est repartie au petit morninge. Elle boitillait d'en avoir trop dérouillé dans le train des équipages. Ne pouvait plus se traîner. Ses yeux lui pendaient de la gueule comme les bretelles des personnages de Dubout. Elle allait se prendre les pieds dedans. T'aurais cru une rescapée de quelque chose : tremblement de terre, accident de chemin de fer ou autres machins pernicieux. En la regardant chanceler jusqu'aux ascenseurs, je mesurais à quel point la verge du Mastard peut se montrer dévastatrice. Un chirurgien obligé de bricoler dans son placard, à Pamela, aurait pas eu beau schpile. C'était tout à reprendre à partir de sa petite culotte à frissons. Une virouze en clinique aurait été judicieuse, histoire de lui colmater la gaufrette. Y aurait sûrement fallu la recoudre. Par la suite, elle allait plus pouvoir garder un braque dans sa boîte à délices, ça déjanterait aussitôt qu'introduit !

Avant de pénétrer dans la cage d'acier, elle s'est retournée, nous a adressé un pauvre sourire « Dame aux Camélias prenant congé d'Armand Duval », ce sale mec !

– C' t' un' vaillante ! a déclaré l'Homme-de-Gros-Trognon. C' dont j'y ai fait subir, aucun' autre aurait pu. Si j' t' dirais qu'é a évanouise deux fois !

– Elle possède des photos de nous, emmaillotant le cadavre de Ramirez dans un édredon, réfléchis-je.

– Nous on en a d'elle qui la montrent en train d'engouffrer mon panais dans ses jolies miches, rétorque le Sage. On s'tient par la barbichette, grand. Tourmente-toi pave ! Et pis, sans m'vanter, c' p'tite merveille est si dingue d' ma grosse veine bleue qu'a veuille v'nir habiter Paname pour êt' plus près d' mon outil. J' la tiens par l'essence, c' te mousmé, c'est positivement mon exclave.

Gagné par sa confiance, je refoule mes idées grises, pas qu'elles devinssent noires, et nous sortons dans les artères grouillantes. Je ne parle pas du bourguignon qui roule pleins phares au sein du ciel bleu. Dans les *books* sur mesure, on écrirait que « le soleil est de la partie » ou une autre connerie passe-partout du genre. Nos deux ombres forment le nombre 10 sur le trottoir.

– C'est marrant, déclare ma Mongolfière après quelques pas, on dirait qu' tu sais où qu'on va.

– Je fais seulement semblant, le rassuré-je.

Alors on arque, on arque sans se parler. Tu voudrais qu'on se dise quoi ? En réalité je me dirige vers la villa qu'habitait Vogel. Je préfère ne pas fréter de taxi. C'est loin du centre, mais nous avons besoin de nous dérouiller. A partir de tout de suite, faut se déplacer dans de la Chantilly. Y aller comme à confesse, le dos rond, l'anus en obturateur de Kodak.

Il est pas tombé des dernières giboulées, Groscul. Il essuie la sueur de son front à l'aide d'un chiffon infâme qui flanquerait la nausée à une flaque de dégueulis, puis murmure :

– Tu croives qu' c'est prudent d' r'tourner là-bas ? Et si les poulardins ont laissé des gonzmen sur place ? On m'a déjà ench'tibé un' première fois...

J'évasive :

– Faut voir...

– Mouais, técolle, quand t'est-ce t'as une idée dans l' cigare, tu n' l'as pas au fion !

Puis il la ferme car ça grimpe, or les obèses ne sont pas amis des rampes lorsqu'ils piétonnent.

***

Solitude et silence.

Nous passons devant la villa en empruntant le trottoir d'en face. On mate sans stopper, mais avec goulurie. La crèche est bouclarès de la tête aux pieds.

L'ayant dépassée, nous continuons jusqu'à la rue perpendiculaire qui traverse cette voie discrète. Il s'agit plus exactement d'un passage piéton séparant deux propriétés. Il nous conduit à un bois de pins parasols où les insectes s'en donnent à cœur d'élytres.

On pénètre sous la voûte des arbres et on s'assied. Chouette panorama. Le quartier heurff propose des maisons de rêve pour gens fortunés, des palmiers, des plantes tropicales énormes, des piscailles aux formes tarabiscotées. En dessous, la ville claire, avec sa folle rumeur. Plus loin, le Rio de la Plata dont, à distance, on oublie la couleur marronnasse.

– Ça m'a l'air cline, note l'Enfoirure.

J'observe tout de mon regard acéré. Plus que la vue, mon instinct m'informe. Je suis prêt à te parier l'ancien prépuce de la reine Queen, avec ses toiles d'araignée, contre un litre d'huile d'olive vierge, que « notre » maison est déserte.

– Je vais y aller ! décidé-je.

– Et pas moive, p' t'êt' ! s'exclame le Chourineur.

– Toi, tu me couvres. A la moindre alerte, tu me lances un de ces coups de sifflet dont tu as le secret. S'il y avait du pet, il serait catastrophique qu'on te serre après tes démêlés avec la Rousse uruguayenne.

Il proteste derechef, mais je lui réponds qu'il me fait l'effet du cidre doux bu en forte quantité, et il cesse son ramage.

Quatre minutes plus tard, je me retrouve dans la villa moderne du défunt Vogel.

Je me rends illico dans le vaste living où fut buté le locataire des lieux.

Une lumière blonde qui passe par les espèces de meurtrières ménagées dans les murs confère à la construction un vague aspect féodal œuvré à la main. Me plante au milieu de la pièce. Regarde, de tous mes yeux, de tous mes sens même, devrais-je dire.

Chaque crèche possède son mystère. J'ai décidé de percer celui de cette demeure. Car elle en a un, je le sens. Je ne me trompe jamais quand il s'agit de « sensations ». Je me plante parfois en ce qui concerne les faits, *never* sur les impressions.

Kurt Vogel habitait cette luxueuse maison moderne. Pourquoi ? Apparemment, il ne branlait pas une datte à Montevideo. Dans cette crèche on ne décèle aucune trace d'activité. Comme il se plumait la prostate, le soir il sortait, buvait, troussait une radasse, écoutait de la musique, bref, il faisait ce que font la plupart des gars qui s'emmerdent lorsqu'ils séjournent dans un bled qu'ils ne connaissent pas. Alors, question pertinente : pourquoi demeurer en Uruguay, pays sans grand attrait, situé loin des plaisirs que peut souhaiter trouver un bandit international désireux de se ranger des bagnoles ? Il serait vite devenu neuneu, le frère, dans sa cage dorée. Ou alcoolo.

Pourtant, c'est ici qu'il est venu planquer sa viande. Pas si bien que cela, d'ailleurs, puisque sa retraite « mystérieuse » constituait un secret de Polichinelle. Les flics la connaissaient, partant, les Rosbifs, et d'autres gens encore, je devine.

Tout ça n'est pas blanc-bleu. Et même c'est couleur gadoue, pour te donner le fond de ma pensée.

Je réfléchis comme une miroiterie. Par instants, j'ai des picotis dans le bulbe. Y a des projets de « flashes » dans ma tronche, des clartés zébrantes hachent la nuit de mon sub. Il me semble que je suis au seuil d'une découverte. Je reconnais les symptômes ! Ça me glatouille sous les vestibules et j'ai besoin de licebroquer. Faut considérer la chose par le bon bout. La dépecer habilement.

La nuit du meurtre, pendant que j'examinais la chambre, le biniou a sonné. J'ai répondu et c'était une voix de femme qui demandait après Vogel. Donc, celui-ci fréquentait du monde, à Montevideo. Une rencontre de bar qui lui essorait l'intime les jours de « trop-de-sève » ? Pourtant je me dis qu'il s'agissait d'une personne plus cultivée que ne l'est généralement une habituée des boîtes nocturnes. Mais là, j'extrapole, me fais du ciné d'art et d'essai. Toujours sont-ce (Béru dixit) que le semeur de bombes connaissait quelqu'un dans cette ville.

Mais attends ! Oh ! *yes*, putain d'Adèle : attends ! M'arrive une *very good* idée par chrono-gamberge. S'il recevait des coups de turlu, *il en donnait sans doute*.

Je quitte mon siège pour foncer sur le bureau dont je me mets à explorer les tiroirs.

N'avait pas encore d'habitudes très ancrées, le gars Kurt. Ça se constate aux factures relatives à la *casa* : électrac, mazout, bigophone. En homme peu accoutumé à l'ordre, il les foutait en vrac dans un dossier de carton fermant avec un élastique.

J'empare celles du téléphone. Nonobstant l'abonnement, les communications ne le ruinaient pas. Pourtant, sur les différents relevés des P. et T. se retrouvent des taxes pour Dayman, patelin dont je n'avais jamais plus entendu parler depuis la révocation de l'édit de Nantes, le 18 octobre 1685.

Alors, à cet instant, une sorte de somptueuse félicité descend en moi jusqu'à mes aumônières incluses. Mon âme est rafraîchie par le souffle de la victoire.

Je quitte cette maison en adressant, en morse, une prière de reconnaissance au Seigneur dont la mansuétude à mon endroit est tellement infinie que j'en biche le tournis.

CAPITULO DIECINUEVE

La presse consacre presque toutes ses pages à l'attentat manqué contre le président Gomenolez. Photos sensationnelles : l'auto à l'avant complètement disloqué par l'explosion, le cadavre déchiqueté du chauffeur, la bouille escagassée de l'homme d'État... Un bol terrible qu'il a eu, le Premier des Uruguayens. Figure-toive qu'il venait de faire tomber un dossier quand la bombe a éclaté. C'est au moment qu'il se baissait pour le ramasser que tout a pété. Le cadavre du *driver* et la banquette avant l'ont protégé. Merci à son ange gardien ; faut surtout pas qu'il en change !

Aujourd'hui, le Gomenolez passe pour un miraculé de frais. Ses adversaires doivent se griffer les roustons ! Quand tu rates ton coup, il se produit un élan de sympathie irrésistible. L'épargné semble protégé des dieux, tu understandes ? Invulnérable ! Donc homme tout-puissant, estampillé par la Providence !

– J'en ai quine ! déclare brutalement le Ronchon. Qu'est-c'est c' t' façon d' s' déplacer pédérastement, tout d'un coup ?

– Bon, bon, fais-je, puisque tu veux être voituré, nous allons l'être !

Délibérément, je me poste au milieu de la strasse, les bras en croix, histoire de stopper une auto qui, de loin, mais avec persévérance, nous suit. S'agit d'une Rover noire, matriculée C. C.

Elle pile pour ne pas risquer de tacher mon costume clair en roulant dessus.

J'adresse un beau sourire au grand escrogriffe qui la pilote et n'est autre que George, le mec qui, hier, escortait Pamela Right quand elle nous filochait.

Tu penses que je l'ai retapissé depuis un moment ! L'est aussi doué pour les filatures que moi pour pratiquer des opérations à cœur ouvert. Il pâlirait, si sa frite ne vermillonnait de façon indélébile, le sujet (à caution) de Sa Majesté variqueuse.

– Plutôt que de nous suivre, conduisez-nous donc, *my dear* ! l'interpellé-je.

Je fais signe au Gradu de me rejoindre et, sans la plus légère vergogne, nous prenons place dans le véhicule (en anglais : *vehicle*).

L'homme, pris en flagrant délire, ne moufte pas.

– Jetez-nous dans le centre, lui dis-je, ce sera parfait.

Tandis qu'il pilote, j'avise, dans le compartiment fourre-tout de ma portière, un guide du pays.

– Je peux ? demandé-je sans attendre la réponse.

Je me positionne en biais, de manière à ce qu'il ne puisse voir ce que je cherche, et fais frissonner les feuillets du bouquin jusqu'à la lettre D. Le bled qui m'intéresse se propose illico à ma curiosité : « Dayman ». La notice qui lui est consacrée m'apprend qu'il est situé très près de Salto, le centre urbain le plus peuplé du nord de l'Uruguay, et réputé pour ses sources thermales aux propriétés multiples et bienfaisantes à en pisser dans son froc.

Informé, je remets le guide dans le vide-fouilles.

– Voyez-vous, cher George, murmuré-je, la chiasse verte, avec les Britiches, c'est que vous êtes à ce point méfiants qu'on ne peut vous faire confiance. Jusqu'à présent, notre Sainte Alliance, proposée par vous-même, prend de la gîte. Non seulement chacun ignore les intentions de l'autre, mais s'efforce de travailler pour son propre compte. Il est difficile, dans ces conditions, de faire progresser le schmilblick. Dites au bon Raidcomebar qu'on devrait peut-être tenter de raccorder nos cornemuses. Quant à vous, je vous préviens : la prochaine fois que je vous chope à nous suivre, je ne vous prendrai plus comme chauffeur, mais comme punching-ball. O.K. ? Maintenant laissez-nous au feu rouge que je vois mûrir là-bas.

On le quitte.

Regarde disparaître sa tire dans le flot de la circulation.

– Suis-moi ! enjoins-je à mon éminent compagnon.

– C'est loin ?

Je lui montre un vaste bâtiment neuf et triste, au fond de l'avenue : la gare.

– On va prendre un dur, tu pourras roupiller.

– Si tu verrerais un' pharmacie, chuchote-t-il, j'achètererais volontiers une pommade adoucissante, rapport à ma pauv' bitoune qui m' cuit d'avoir trop s'ringué la Pamela. L'a beau s'élargegir du goulot, la pauvrette, sa foufoune c'est pas encore les voies sur berges !

Le Cher Seigneur reste avec nous puisqu'Il nous propose tour à tour, et dans les meilleurs délais, une officine et un train pour Salto.

***

Nous prîmes des première classe, aux frais exclusifs de la Couronne Britannouille qui n'en est pas à ça près. Nos seules voisines de voyage furent deux religieuses de l'ordre de la Sainte-Glandouille ralliant quelque couvent. L'une était âgée, l'autre jeune. Sitôt que le train s'ébranla, elles s'abîmèrent toutes deux dans le même livre de prières, histoire de baliser leur future vie éternelle. Cette édifiante lecture endormit promptement la vieille. La sainte femme se prit à ronfler en espagnol en produisant des sonorités n'évoquant rien de paradisiaque. La jeune novice en fut gênée et nous adressa un sourire qui quémandait notre indulgence. Nous lui répondîmes par un autre, signifiant que nous l'accordions de grand cœur.

Conquis par la dorme de notre compagne de voyage, le Mastard accorda son souffle sur celui de la nonne, mais, contrairement à ses habitudes, il ne put en écraser car, m'expliqua-t-il, il souffrait trop de sa verge endolorie. Il pensa atténuer le mal par une application de sa pommade fraîchement acquise et se dirigea vers les toilettes.

Je l'en vis revenir peu après, penaud et d'humeur exécrable.

– C't'à croire qu' tous ces tordus a la courante, y font la queue d'vant les goguemuches.

Moive, j' peuv' plus attend'. Scusez, ma sœur, d' m' déballer l' panais d'vant vous, mais si j' le ferais pas, j' crillerais d' souffrance.

Pour ne pas être vu du couloir, il se plaça face à la fenêtre, c'est-à-dire également à la nonnette, qui occupait l'un des coins.

Quand il débraguetta, l'innocente vierge (pléonasme) fut longue à comprendre ce dont il s'agissait. Depuis l'enfance, elle macérait dans l'eau bénite et ignorait que la magnanimité du Seigneur pût se manifester sous forme d'un colossal appendice. Son premier sentiment fut de surprise, son second d'apitoiement. Elle ne savait de l'homme que ce que ses frères lui en avaient montré : de grisâtres gnocchis sans grande consistance qui suscitaient la répulsion.

Sur l'instant, elle crut à une anomalie de la capricieuse nature qui avait fait croître au bas d'un ventre d'homme un moignon de bras ou de jambe (difficile à décider). Mais comme il s'agissait d'une fille point trop sotte, elle réalisa le caractère de « l'affaire » et se signa à grandes brassées. Précaution superflue, car cette trompe rouge et luisante n'inspirait pas la moindre convoitise. Au contraire, elle éveillait la compassion, et la miséricordieuse jouvencelle eût aimé oindre « la chose » tuméfiée pour atténuer la douleur qu'elle infligeait à ce gros étranger.

Bérurier appliqua sur sa verge sinistrée la moitié du tube, avec la générosité du staffeur crépissant un mur. Puis il secoua son membre afin de le venter.

– J'espère qu' v's' êtes pas choquée, ma sœur, fit-il à la religieuse, mais j'y t'nais plus. V' s'avez vu c' chinois, l'état qu'y s' trouve ? Une souris qu'aim' prend' du rond, et n'en v'là les conséquences. J' l'eusse calcée comme dans l'évangile, j' m'en tirais av'c un simp' échauff'ment, alors qu'y va me falloir trois jours avant d' pouvoir r'tremper l' biscuit. Mais brèfle, j' r'grette rien. Si l' gentille Seigneur m'a placé c'te bricole au bas du vent', c'est pas s'l'ment pour casser des noix.

Il remit (à grand-peine) le déduit dans ses appartements et dégaza en majesté. Il se sentait mieux et ne tarda pas à ronfler.

La novice reprit le chemin de la prière avec une ferveur accrue. Sa supérieure rêvait qu'elle était reçue en audience privée par le Saint-Père. Le pape la bénissait et elle en conçut un tel bonheur que ses sphincters se relâchèrent ; mais ayant depuis lurette maille à partir avec eux, elle ne se déplaçait jamais sans Pampers.

Pour ma part, en homme de métier, de devoir et de persévérance, je poursuivis mon étude mentale de cette étrange affaire. Je continuais de douter des Rosbifs, aurais voulu savoir quels intérêts avaient amené le lieutenant Ramirez à ordonner l'équarrissage de Vogel, et me demandais pour quelle raison le grand glandu de George me filochait dans les rues de Montevideo.

Ces questions sans réponses satisfaisantes me conduisirent à mon tour dans les rets d'un sommeil ferroviaire troublé par les ronflements de mon écuyer.

***

Lorsque nous parvînmes à Salto, il faisait nuit et il pleuvait des trombes d'Eustache [1]. Un orage tropical qui te transforme la raie culière en gargouille gothique.

Nous eûmes la chance de dénicher un taxi conduit par une Indienne à la peau cuivrée. Je lui demandai de nous driver jusqu'au grand hôtel, chaudement recommandé par les guides. Celui-ci s'élevait à faible distance, mais la squaw accepta cependant de nous y conduire. Le Mastard, qui retrouvait depuis son réveil les affres consécutives à sa bistoune en feu, se fit une seconde application de pommade. Il ne l'avait point terminée à l'arrivée, aussi la

1. Par instants, il semblerait que le Maître déraille un tantisoit.
La direction directoriale.

chauffeuse comanche se montra-t-elle abasourdie par le braque de son client et la désinvolture avec laquelle il l'oignait.

Elle s'enquit de notre nationalité.

Non sans une certaine lâcheté, je lui répondis que nous étions belges ; mais la vaillante personne ne savait rien du continent européen.

Lorsque je l'eus réglée, elle demanda la permission de toucher le membre du Gros, sous le prétexte hypocrite qu'un tel contact lui porterait bonheur.

Je traduisis sa requête à Béru, qui se laissa palper le membre de bonne grâce, à la condition expresse qu'elle épargnât le gland gravement sinistré.

La durée de l'attouchement me donna à croire que la taxiwoman y prenait de l'agrément, ce qui, sottement, me combla d'aise.

CAPITULO VEINTE

Maintenant, ô mon lecteur crédule, il me faut te confesser une chose somme toute vénielle qu'en conséquence tu voudras bien me pardonner : les trains pour voyageurs n'existent pas en Uruguay où les transports routiers les ont remplacés ; seulement, il eût été moins pittoresque de décrire les soins de verge de Sa Majesté triomphante dans un car. La scène savoureuse (?) de la douce petite sœur confrontée au monstrueux chibraque de l'Enflure aurait perdu tout intérêt (si tant est qu'elle en comportât un) ; bref, j'ai « aménagé » cet épisode afin de donner priorité à la gauloiserie. Ne m'en veuille donc pas et songe à l'effort qu'un garçon épris de sincérité comme moi a dû fournir pour te rendre quelques lignes de sa prose plus plaisantes.

Mon respect de la vérité étant rétabli, je te reprends le fil de ce récit hors du commun.

Le lendemain, après une dorme salutaire et quelques emplettes effectuées en ville, nous continuons sur Dayman, en espérant y trouver quelque quiétude, car l'activité est ici très intense. De nombreux ferries traversent le fleuve en direction de Concordia, la ville argentine qui lui fait face. J'aime bien les cités portuaires ; d'abord parce qu'elles sentent davantage la mer que la merde, ensuite parce qu'elles ont toutes un air d'aventure. Bien sûr, à Denain aussi, il peut se passer des événements, mais on pressent que ce ne seront jamais les mêmes qu'au Havre !

Le bus est plein de Touaregs qui... Comment ? Y a pas de Touaregs en Uruguay ? Ah ! bon, excuse. Rectification : le bus est bondé. Pas déglingué le moindre, luxueux, plutôt. Un système de phonie distribue des décibels chiants dans les cages à miel. Air de fiesta. La kermesse sud-amerloque ! Sombreros et mantilles. Olé ! Ces bons voyageurs en sont très satisfaits. Z'ont l'habitude.

Bibendum ne souffre presque plus de sa grosse bistougne, ce morninge. Il déplore juste qu'elle vire au violet, mais prévoit déjà des lendemains qui chanteront à pleine voix. Il me demande à s'en brûler le pourpoint :

– En somme, t'espères trouver quoi, dans c' bled qu'on va ?

– La clé d'un mystère, j'y réponds-je.

– Quel mystère ?

– Si je le connaissais, ça n'en serait plus un, ma biche.

– Tu cachottes, bougonne l'homme au paf en berne. On a toujours l'impression qu' tu t' fous d' la gueule du monde. Bordel à cul, si qu'on viendrait ici, c'est pas pour avaler du ruban, mais pour faire progresser l'enquête, non ?

Sa nervosité se libère à l'unisson de sa boyasserie. Pour le calmer, je lui jette un os à ronger :

– Sur les relevés téléphoniques trouvés dans la villa de Vogel, j'ai vu qu'il appelait parfois Dayman, où nous allons. Or, apparemment il ne connaissait personne dans ce pays d'Amérique du Sud. J'en conclus qu'il entretenait des relations avec un correspondant habitant ce patelin.

– S'il relationnait avec un gusman d'ici, pourquoive créchait-il-t-il à l'aut' bout du pays ?

Hochement de tête désabusé de l'éminent Sana.

– C'est ce que je voudrais apprendre.

– T'as l' bigophone du pékin en question ?

– Non.

– Et comment tu comptes le trouver, malin ?

– Je n'en sais encore rien, avoué-je. J'ai confiance en ma perspicacité, mon esprit de déduction, mon don d'observation et ma chance insolente.

– T'auras pas trop d' tout ça pour obtiende un résultat, prophétise le Druide.

Le car roule sur une route encore détrempée par les fortes pluies de la noye. Le conducteur prend un malin plaisir à rouler dans les flaques pour asperger les cyclistes.

En veine de pensées profondes, l'homme de Saint-Locdu-le-Vieux reprend la parole :

– T' sais n'à qui j' pense ?

– Dis-y-moi.

– Au tordu qu'on a fic'lé dans c'te grange abandonnée : y doit commencer à s' faire vioque, non ?

J'avoue avoir relégué loin dans ma mémoire le dénommé Alonzo Troquez. Des incidents plus urgents m'ont mobilisé. Pourtant, ce dynamiteur est toujours vivant : qu'un cul-terreux le découvre et ce sale mec nous vaudra des tartines de gadoue sur pain rassis. Mais, « ouath ! » que disait papa quand il s'inclinait devant une fatalité. Surtout à la pêche, je me souviens. Si ça ne mordait pas, il grommelait « Ah ! ouath ». Un jour, avec un copain, ils ont acheté une vieille barque d'occase, l'ont ravaudée, repeinte d'un beau vert ajonc et l'ont baptisée « Ah ! ouath ». Je me rappelle qu'ils ont longuement discuté l'orthographe de cette onomatopée. P'pa réfutait le « h » terminal, mais son pote y tenait mordicus : il trouvait que ça faisait britiche.

Au bout d'une demi-heure de route, nous atteignons Dayman, agglomération aux airs de ville d'eaux un peu chichoite. Y a des hôtels pour curistes plus ou moins bien nantis, plus ou moins mal lotis ; des bâtiments ressemblant à des établissements thermaux. L'ensemble est tristement fagoté, si l'on excepte quelques centres de « cure et revitalisation » pour éleveurs de bovins à pesos.

Nous jetons tu sais quoi ? Oui : notre dévolu, sur un hôtel « moyen-mais-de-bonton » contre la façade duquel on a fait grimper des rosiers. Une grande vasque de céramique bleue me flanque envie de licebroquer, à cause de son glouglou sempiternel.

Dans le hall d'arrivée, l'est une vaste volière peuplée de zizes aux plumages en technicolor. Une soubrette en blouse blanche promène sans joie un aspirateur pareil à un chien d'aveugle.

Derrière la banque des arrivées, un petit homme à rouflaquettes pointues [1] fume un cigare plus gros que son sexe, avec des grimaces pour publicité de laxatif. La crise de l'hostellerie et nos physiques engageants l'incitent à nous louer deux chambres contiguës avec vue sur une réduction de Bagatelle. Ce tordu possède cet air perplexe des gens décidés à tuer mais qui ne savent trop sur qui fixer leur choix. Je crois comprendre la raison de sa détresse quand j'avise, au mur, derrière lui, la photo d'une très jolie jeune femme affligée d'un bec-de-lièvre, d'un strabisme convergent et d'une moustache d'enseigne de vaisseau des Années folles. Le cadre qui l'emprisonne est orné d'un crêpe noir et il y a des fleurs dans un vase posé à côté du portrait.

– Votre femme ? lui demandé-je-t-il avec la voix apitoyée d'un gars des pompes funèbres au travail.

Il opine, envoie un baiser à la ravissante disparue et torche un brin de larme avec les poils couvrant sa main. Je sens que cette question m'a gagné sa sympathie. Les êtres sont touchants : on les séduit avec un minimum de gentillesse, souvent.

1. Ça se fait beaucoup par ici.

– Elle était très belle, assuré-je d'un ton pénétré. Comment s'appelait-elle ?

– Compilacion.

– Comme ma sœur, soupiré-je.

C'en est trop : il me tend la main ; une paluche de branleur fiévreux. C'est décidé : nous voilà amis jusqu'au trépas.

Nos piaules sont agréables dans leur relative modestie. Le bidulier aux rouflaquettes de danseur tangotier me révèle que c'est sa chère défunte qui en avait assumé la décoration. L'était douée, Compilacion. Des étoffes claires, des tapisseries avec motifs exotiques : cactées en fleurs, paons faisant la roue, des meubles en rotin, un tapis de coco (sans les noix) ; tout cela est sympa, accueillant, légèrement « cucul-la-praline ».

– Exquis ! assuré-je, ce qui ravit le jeune veuf.

Pourquoi m'accroché-je à ce petit connard ? Mon instinct entre en action, ne cherche pas. La voix de mon lutin interne essaie de me convaincre que j'ai des choses à espérer de ce mec. Si je me laissais aller, je l'inviterais à becter et on discuterait le bout de lard jusqu'à ce que la lumière s'ensuive.

Le Mammouth qui, cependant paraît étranger à mes préoccupances, murmure brusquement :

– D'mande à c't' tronche d' paf combien t'est-ce y a d'habitants dans son bled.

Docile, je répercute la question. Le gringale répond que cela dépend : en fait d'autochtones, ça va chercher le millier de gonzmen, mais le nombre est triplé, voire quadruplé en période de saison haute.

Sarcastique, l'homme dont les lèvres ressemblent à une exubérance d'hémorroïdes, me jette :

– Et toive, t'as la prétendance d' r'trouver parmi c'te' population d' pégreleux, çui dont à qui Vogel bigophonait !

Je considère son faciès marbré par le beaujolais, son regard de batracien hépatique, ses nombreux mentons en chute libre. Un regain d'énergie, de foi en la vie m'empare.

– Je le retrouverai ! prophétisé-je sourdement.

Le tas de graisse hoche la hure.

– Y a des jours, j' m' demande...

– Que te demandes-tu, Sac-à-excréments-hors-d'usage ?

– Si tu s'rais con, ou si tu l' fererais esprès ! Enfin, ça nous procure n'au moins des vacances.

Tu parles ! Si on pouvait deviner ce qui

nous attend, comment qu'on se rapatrierait dans nos foyers.

Il regagne sa chambre et ne tarde pas à reconstituer la bande sonore du film consacré à l'attaque de Pearl Harbor par ces gentils Japonouilles, lesquels ressemblent tellement à mon cul qu'il ne leur manque que la parole.

CAPITULO VEINTIUNO

Il n'a pas complètement tort, Sandro-Benito, de prétendre que c'est folie, mon entreprise. Espérer retrouver quelqu'un dans une ville d'eaux avec, comme unique indice, le fait qu'il ait été appelé de Montevideo relève de la psychiatrie. On peut, sans être mesquin, en déduire que j'ai des fissures au bulbe. Néanmoins, je m'obstine dans ma certitude, n'en démords pas. Au cours de ma brillante carrière (non, inutile de te prosterner, je suis modeste), j'ai découvert que, lorsqu'un homme est animé de la rage de vaincre, rien ne peut enrayer sa marche en avant.

Pour la énième fois (au moins) je récapitule : Vogel, installé dans la capitale, donnait parfois un coup de grelot à quelqu'un résidant à Dayman. C'est tout, un pet de libellule dans le grand concert de l'été. A mon génie de fabriquer les autres maillons de la chaîne qui me conduira au bout de l'affaire.

Dans ma piaule, l'est un fauteuil léger. Quand je m'y assois, il émet un bruit exprimant le désespoir. Je me retiens de bouger pour ne pas le faire trop souffrir. Je gamberge davantage en restant immobile. Toute mon énergie se concentre alors dans cet endroit de mon caberluche où siège ma matière grisâtre. Si, de surcroît, je ferme les châsses, alors ma pensée devient diamant à l'état pur.

Je te rappelle l'essentiel de ma méditation. A toi de suivre en freinant bien dans les descentes qui vertiginent exagérément.

Radiographie de la réflexion Santantoniaise :

Le terroriste, pour des raisons « x », décide de raccrocher et de mettre ses explosifs au placard. Il s'est préparé une retraite en Uruguay, dans laquelle il semble s'emmerder, bien qu'elle soit « dorée ». Le journal El Dia *publie sa photo et promet une récompense de dix mille verdâtres à qui permettra sa capture. Seulement, l'image ne lui ressemble pas. D'après le quotidien, l'annonce émanerait de la Police.*

San-A. est reçu par le tout-puissant lieutenant Ramirez, qui réfute la chose. D'ail-

leurs, Ramirez connaît la retraite du criminel et le fait surveiller. Quid de ce bigntz ?

L'officier de police se lie d'amitié avec moi. Il projette de supprimer Vogel et de me faire endosser la paternité du meurtre.

Pourquoi veut-il éliminer l'homme qu'il surveille ? La mort de ce type ne représente sans doute pas pour lui qu'une prime à toucher : elle sert d'autres intérêts. Lesquels ?

Pourquoi Kurt avait-il mon portrait dans son dressing ? Quelqu'un l'avait donc averti de mon arrivée et mis en garde ? Qui ? Seuls les Britiches savaient que j'allais me pointer à Montevideo. Conclusion ?

Mon fauteuil grince biscotte j'ai interverti mon croisage de jambes. Ça me coupe le fil un instant. Je le renoue presto.

Voyons... Ah ! yes : *Dayman. Nous y voici. Dayman où ce criminel en fuite communique parfois téléphoniquement. Ça, c'est bizarre : ce convict venu d'Europe, principal terrain de ses activités, et qui, à l'évidence, ignore presque tout de l'Uruguay, y a cependant un correspondant. Lequel crèche à l'autre bout du pays. Mysterious, non ? C'est là que je fais tilt. C'est le point critique de l'histoire, selon mon bel instinct poulard.*

Et alors, ça m'explose sous le cuir chevelu. Le ravissant Sana pige, pige, pige ! Divine lumière, source de vérité !

Le type que connaissait l'équarrisseur habite ce patelin provisoirement, sinon Vogel serait venu s'installer ici, près de son complice ou allié. Ça semble logique. S'il n'en a rien fait, c'est parce qu'il se trouve à Dayman de façon temporaire. *Il y est en traitement, comme curiste*, tu piges, Edwige ?

Sans attendre les douze coups de minuit qui ne sonneront que dans douze heures (après ceux de midi), je retourne à la réception. Le gaucho de l'hostellerie est encore à sa banque, en train de claper une *cazuela* [1] à même la casserole. Il l'absorbe à l'aide d'une grosse fourchette de cantinier. Je ne sais pourquoi, ce petit rat m'émeut. On le sent désorienté par son récent veuvage. Sa belle loucheuse devait le gérer avec autorité, aussi sa liberté recouvrée le prend au dépourvu. Un jour, bien entendu, il croisera la route d'une autre gamelle qui mettra de nouveau l'embargo sur lui, et alors il retrouvera sa vitesse de croisière.

Son brouet sent un peu la merde, comme toujours quand il s'agit de tripes. Il le consomme, nonobstant, d'assez bon appétit.

– Ça a l'air délicieux, lui fais-je en désignant sa gamzoule nauséabonde.

1. Ragoût de poisson ou de tripes.

– Vous voulez y goûter ?

– Non, merci, je n'ai pas faim. C'est comment votre prénom ?

– Paco.

– Je vous trouve très sympathique et j'ai l'impression de vous connaître depuis longtemps.

Il me tend un sourire enrichi de tripaille à la tomate.

– Vous êtes également *simpático, señor.*

– Dites-moi, Paco, les eaux d'ici sont utilisées pour quel traitement ?

– Psoriasis.

– Elles sont efficaces ?

– Miraculeuses ! affirme-t-il en commerçant qui tient à la réputation de son bled.

– Les cures durent combien de temps ?

– C'est variable, car cela dépend de l'étendue du mal ; mais il faut compter plusieurs mois dans les cas importants.

Je lève les yeux sur le portrait de sa rombiasse disparue. Une connasse sans goût ni grâce ; mais tout le monde doit avoir sa part de bonheur, terrestre ou éternel, non ? Peut-être qu'elle me sourit, sa chaisière, du haut de son cadre ? Va-t'en savoir, avec ses lotos qui se croisent les bras ! Je lui adresse un brin de supplique : « Gentille mocheté, intercède pour qu'on me virgule un peu d'assistance, de là-haut, *prego* ! »

Paco s'enfourne son brouet qui te donnerait envie de claper une boîte de Canigou revenu dans du beurre.

– C'est quoi, d'une manière générale, la clientèle des maisons de soins ?

– Beaucoup de riches étrangers.

– Qui viennent d'où ?

– Argentine, principalement, Brésil aussi, et il y a même des Yankees.

– Des Européens ?

– Pratiquement pas ; ou alors c'est qu'ils demeurent en Amérique du Sud.

Ça y est, il a fini sa pâtée. Il réprime un rot, ne peut contenir les suivants et la pièce se met à sentir la chambre froide privée de courant depuis quinze jours.

– Paco ! le hélé-je doucement.

– *Si, señor ?*

– C'est étrange ce qui se passe...

– Quoi, *señor* ?

Je lui désigne la photo de sa chère disparue.

– J'ai l'impression qu'elle nous protège.

Il opère un signe de croix à grand spectacle et deux superbes larmes, diamants en fusion (écrirait une romancière que je sais et qui compte s'acheter une mercerie avec la prime-décès de son époux) glissent sur son visage de rongeur neurasthénique.

– *Si!* balbutie-il : elle veille, comme elle veillait de son vivant, la grande âme.

– Elle me dit que vous allez m'aider.

– Oui ! fiévreuse-t-il.

Puis, réalisant :

– Vous aider à quoi, *señor* ?

– Je recherche quelqu'un qui se trouve dans cette ville, mon cher Paco et qui doit probablement faire une cure. J'ignore son nom, son âge, sa nationalité, mais il est à Dayman et il faut que je le rencontre !

Je le prends aux épaules :

– Si nous le retrouvons, je vous donnerai mille dollars !

– Mille ? fait-il sans paraître réaliser.

– Neuf cent quatre-vingt-dix-neuf dollars, plus un.

Je tire de ma fouille-revolver une liasse de billets couleur épinard qui manque l'énucléer.

– Vous voyez, Paco : ils sont là, et bien vivants, prêts à changer de poche !

Magnanimique, je glisse un talbin de cent piastres dans la poche-poitrine de sa limouille.

– Pour engrener notre association. Désormais, entre nous c'est « à la *vida* à la *muerte* ».

Une accolade scelle notre accord au ciment prompt.

Je le regarde partir.

Si tu savais combien il est émouvant, ce petit veuf, avec ses favoris, sa chemise blanche à manches courtes, sa cravate et son pantalon noirs. Comme s'il voulait ajouter à son pittoresque naturel, il se munit d'un parapluie noir enroulé qui achève de donner à sa silhouette un aspect sot, grenu et saugrenu.

Je l'ai dûment chapitré. Pas si con que ça, il semble avoir assimilé sa mission. Il m'a seulement demandé de tenir sa caisse en son absence car il n'a guère confiance en sa bonniche, fille des pampas peu habituée à la vie citadine, même aussi sommaire que celle de Dayman.

Pour tromper le temps, je ligote le baveux du cru, presque entièrement consacré à l'attentat contre le président. J'éprouve quelques difficultés, mon espanche étant davantage parlé qu'écrit. La police est sur la piste des terroristes. L'idée prévalante est que le lieutenant Ramirez y Ramirez y Ramirez a trempé dans le complot car il a disparu au moment où se perpétrait l'attentat, et juste avant, son épouse s'est embarquée pour Paris à bord d'un avion Air France. L'Uruguay compte demander à la France que la sublime Maria del Carmen soit entendue par une commission rogatoire en attendant une éventuelle demande d'extradition.

De ce côté-là, ça baigne. Je projette de contacter les Affaires étrangères pour réclamer une protection rapprochée de ma ravissante maîtresse. Mais rien ne presse, il me faut au prélavable (Béru dixit) régler l'affaire du mystérieux correspondant de Vogel.

Assis derrière l'antique caisse dont le plateau est cerné d'une corniche en bois tourné, je suis les pataudes évolutions de la servante. Fille d'un brun ardent, brillant, teint bilieux, œil sombre, front bas, lèvres charnues qui, lorsqu'elles s'écartent, laissent voir des dents en clavier de piano, noires et blanches. Les loloches sont lourdes, le ventre naissant, les jambes en quilles de bowling. Elle me quitte peu du regard, semblant sensible à mon charme reconnu d'utilité publique. Parfois me sourit. Il est probable que cette douce demoiselle sera une proie idéale pour le don Juan de Saint-Locdu, lorsque son panais redeviendra immergeable.

Le biniou carillonne. Je réponds : un certain Sanchez, de San Barro, annule sa réservation du lendemain et demande à ce qu'elle soit reportée au lundi suivant. Je prends note, l'assure que tout est O.K., puis mets un post-it en évidence sur le burlingue de mon gentil hôtelier.

Peu après, Sa Majesté satanique survient dans l'escadrin.

– Qu'est-ce tu fous à c' t' caisse, mec ? interroge-t-il.

– J'opère un remplacement.

Il hausse ses gigots antérieurs, sachant qu'avec moi il ne faut jamais s'étonner.

– Il fait soif, me dit-il.

Pour me prouver sa déshydratation, il mâche à vide, reproduisant de la sorte le bruit de l'éléphant piétinant un marigot.

– Va t'acheter à boire, conseillé-je.

– On va pas à la clape ?

– Plus tard.

– J'ai aussi les crocs.

– Achète également de la bouffe : y en a plein les strasses.

– C' qu'on trouve m'a pas l'air franco ; j'ai horreur d' bouffer après les mouches !

– Il n'y en avait pas, à Saint-Locdu, autour de vos étables et de vos chiottes ?

– Minute, grand : c'tait les nôtres ! Ici, c'est des bestioles qu'on sait pas d'où qu'é viennent, ni quelle merde é z'ont butinée. Nos mouches d' mon pays natal, é z'étaient françaises, j' t' prille d'admett'. On leur connaissait la prov'nance.

Sa flambée de patriotisme s'éteint. Majestueux, il se dirige vers la sortie, mais stoppe net, se cabre devrais-je plutôt dire si je parlais correctement la langue de mes paires, en se trouvant nez à cul avec celui de l'ancillaire.

– Chouette popotin, hé ? me prend-il à témoin.

– De tout premier choix, l'excité-je.

Il avance une main concupiscente jusqu'à la croupe rebondie et l'y plaque sans tu sais quoi ? Oui : vergogne.

La fille andine volte avec mollesse, découvre son peloteur et esquisse une moue. Très évidemment, Gras-double ne hante point ses songes.

– Pense à ton avarie de machine ! dis-je à l'Élégant.

– Les choses s'tassent, me rassure-t-il ; j' m' fais fort, av'c un peu d' beurre ou d'huile d'olive, d' rend' visite à sa babasse sans qu'on jouasse « Panique à bord ».

Là-dessus, un nouveau coup de grelot.

En auxiliaire consciencieux, j'y réponds.

Une voix que je pense d'homme, mais qui pourrait appartenir à une lesbienne ayant un chat dans la gorge :

– *Pergola Hotel ?*

– *Si ?*

– Police.

Yayaïe, j'ai les poils des miches qui font des bouclettes.

– *Buenos dias*, que j'espagnolise.

Et mon interlocuteur :

– Y a-t-il, parmi vos clients nouvellement arrivés, deux Français ?

– *No, señor*, fais-je avec calme. Nous n'avons pas d'étrangers en ce moment.

– O.K. ! m'est-il répondu dans la langue de Cervantès.

CAPITULO VEINTIDOS

Chauds, les marrons !

Ce cri de mon enfance, je l'entends encore, parfois, l'hiver, quand je croise un bougnat en train de faire griller des châtaignes dans sa grande poêle à trous. Et aussi, pendant des chicornes, lorsqu'il m'arrive de morfler un taquet dans la poire ! Chauds, les marrons !

Présentement, devant ce bigophone raccroché, il résonne violemment dans ma tronche. Moins une ! Si le petit taulier veuf, aux rouflaquettes pointues, s'était trouvé à son poste, on était cuits, le Gros et moi. Ç'allait être la grande cueillette d'automne.

Cet appel « un temps pestif », comme dit Queue-d'âne, prouve que nous sommes recherchés et serrés de près.

Je ne pense pas qu'il s'agisse de la police, bien que mon correspondant l'ait prétendu. Pourquoi ? Difficile à préciser. Question d'intonation. L'homme du téléphone semblait manquer quelque peu d'assurance lorsqu'il m'a affirmé la chose.

Cela dit, le péril n'en est pas moins sérieux. Nous voici « talonnés » par des gens de mauvaises intentions. Des gens qui savent que nous sommes à Dayman. Et qui ne nous veulent rien de fameux, je le devine sans boule de cristal.

Tu crois qu'on devrait essayer de les mettre rapidos, la Citrouille et moi ? Franchir le fleuve Uruguay pour s'aller placarder en Argentine ? A force de m'obstiner sur cette fumeuse affaire, je vais finir par gagner le canard. C'est un coup à ramasser un plein chargeur de bastos dans le garde-manger, ça ! Je déteste ce genre de turbin où l'ennemi est duraille à identifier. Ça ressemble à une guerre de ville, qu'on doit conquérir quartier par quartier. Partout le danger : en haut, en bas, de gauche et de droite. Partout la menace est tapie ; aller de l'avant ne conjure rien car l'assaillant t'a peut-être laissé passer délibérément pour mieux t'abattre par-derrière ?

Un chant s'élève, en provenance de la rue : « L'hymne des Matelassiers », interprété par le fameux baryton-basse Alexandre-Benoît Bérurier, des Concerts de Saint-Locdu-le-Vieux. Il devrait faire davantage de raffut, ce gros cornard ! Le moment est bien choisi de rameuter les populations !

Il entre, en planture intégrale, portant son bide comme une grosse caisse de fanfare, la bouche pleine, la trogne tel un cul de babouin. Il tient dans ses deux bras maternels un immense sac de papier débordant de victuailles.

– Tu voyes, annonce-t-il en s'amenant jusqu'à moi, un patelin qui produit d' la bidoche et du vin c'est certain qu' l' Seigneur l'a à la chouette.

Cher grand nœud démesuré ! Quelle paix émane de son personnage ! Que l'existence lui est donc amicale !

Je lui raconte le coup de grelot. Ça l'émeut autant qu'une tache de graisse sur son revers de veste.

– T'as bien fait d' répond' qu'on n'était point là, mec, complimente-t-il. Bon, j' vas m' colmater les dents creuses, si tu voudras qu' j' t' prépare un sandouiche t'as qu'à téléphoner dans ma carrée : j' l' fererai descend' par la bonniche qu' jussement la v'là. Hé ! fillette ! Tu veuilles coltiner c' sac jusqu'à ma piaule ? En r'mercillement, j' t' filererai pas de pourliche, mais j' te laisserai palper mon zobinet : tu verreras c' goitre qu'y s'est chopé, l' frangin ! entièr'ment taillé dans d' la viand' d'homme ! Si tu l' touches pas, tu peuves pas croire qu'il est en vrai !

Le couple disparaît en s'essoufflant dans l'escalier.

Moi ? Ben que veux-tu : comme toujours, j'assume !

***

Il est resté cinq plombes parti, le taulier. Quand il a rejoint sa base, j'avais moulé son poste de commandement depuis lurette pour aller regarder la téloche dans un petit burlingue contigu. C'étaient les infos qui m'intéressaient, tu t'en doutes. Si on continuait d'en distiller à propos de l'attentat et de la disparition du lieutenant Ramirez et de sa garce, on n'en cassait pas une broque à notre sujet. Donc, j'avais senti juste en concluant de l'inquiétant coup de fil que ce n'était pas la Rousse qui nous cherchait.

Durant l'absence de son employeur, la femme de chambre a bien mérité son titre. Malgré ses récentes avaries de machine, Gradube lui a consacré « le meilleur de lui-même ». Si mes comptes sont conformes à la vérité, elle a dû prendre son fade seize fois au cours de ces heures vécues sans surveillance. Une espèce de record, il me semble, non ? En tout cas pour l'Uruguay.

Il y avait peu d'allées et venues dans ce

tranquille hôtel pour curistes occupé par des gens d'âge. Des furtifs. Des trotte-menu ravagés par le fâcheux psoriaris. En voilà une saloperie, tiens ! P'pa en avait, je me souviens : aux coudes ; ça desquamait vilain. Des fois, t'aurais cru qu'il s'émiettait, mon dabe.

Pour t'en revenir aux clilles de mon pote Paco, il en est des salement avariés : ceux que ça bichait à la gueule, en particulier. Une vieille dame, entre autres, qu'avait l'air rescapée d'un incendie. J'aurais pas été partant pour lui souhaiter la bonne année.

Mais je suis là qui me répands pour la peau (si j'ose dire). Ce que t'en as à cirer, ta pomme, du psoriasis !

Que donc, l'ami taulier revient, fourbu. Il m'annonce avoir visité les quatorze établissements de la région. Il a questionné toutes les administrations de ces crèches ; ça lui a été facile car il connaît tout le monde et tout le monde le connaît. Il possède des piaules dans une entrée privée, au fond du jardin fleuri. Alors y a plein de gens qui viennent tirer des crampes en loucedé. Un coup de grelot discret : le clille sait que le studio 24 est à sa dispose, la clé sur la lourde. Il y embarque sa conquête, la trombone à la langoureuse, laisse l'argent de la chambre sur la table et s'esbigne par la ruelle de derrière. Faut savoir organiser sa vie galante, en Uruguay comme ailleurs.

Bon, il m'en revient à son enquête. Sur la totalité des curistes séjournant présentement dans la station, trois seulement viennent d'Europe : deux femmes et un homme. Tous les autres sont sud-américains. Mon digne auxiliaire, recrue de choix et de fatigue (car il a marché comme un marathonien), s'écroule dans le fauteuil de son burlingue.

– J'ai inscrit les noms des trois Européens, fait-il, ainsi que celui des établissements où ils se trouvent.

– Un grand merci ! fais-je en lui votant avec libéralité deux nouveaux talbins U.S.

Redevenant professionnel, il s'inquiète :

– Dolorès n'est pas là ?

– Elle vient de monter une serviette à mon compagnon.

Je sonne la chambre du Cataclysmique.

– T'as fini de tringler cette pécore, Gros ? Son singe est de retour.

– L' temps qu'é remettrait sa culotte et j' la renvoye, annonce Dom Juliénas. Mais faut pas compter trop su' ell' vu qu' av'c ce qu'a vient d'encaisser dans les miches, é n' s'rait plus capab' d' coller un timb'-poste sur un' enveloppe !

Lorsque la nouvelle égérie de Bérurier se pointe, je constate que l'avertissement de mon ami reste très en deçà de la réalité. Comment qu'elle est rinçaga, la sœur. Les cannes flanelleuses, la laiterie avalancheuse, la bouche béante, le regard moins vif que celui d'un silure conservé dans le formol. Sa robe s'est mise en torche autour de son corps sans grâce ; elle a négligé de la boutonner entièrement et son sein gauche se débine. Ne parlons pas de ses cheveux inextricables qu'il faudrait confier à l'expérience d'un tondeur de chiens si elle voulait les remettre en ordre. De plus, elle boitille en marchant, biscotte elle a passé les deux pieds dans un même trou de son aimable culotte.

– Qu'est-ce qui vous arrive, Dolorès ! s'écrie le veuf.

– Malade ! répond la démantelée de la babasse.

Comme preuve péremptoire de son affirmation, elle se met à gerber devant le comptoir.

***

Une heure après ces menus incidents domestiques, je pars à la découverte, escorté de Mister Bedaine.

En moi, je te le jure, s'élève une sorte d'hymne à la vie. Je devine, JE SAIS que cette soirée va être déterminante. C'est tellement intense que je ressens une sensation de « déjà vu ».

Tu vois, rien que pour éprouver une aussi voluptueuse délectation, je remercie le ciel d'avoir permis que je sois flic.

On prend son panard où l'on se trouve, c'est beaucoup mieux que de le chercher où il n'est pas !

CAPITULO VEINTITRES

« Modifier son aspect » est plus aisé à dire qu'à faire. Dans les *books* d'action, y compris certains des miens, le héros se fout une paire de lunettes teintées, une bacchante, et vogue la galère ! T'as également le travesti : l'intéressé se fringue en gonzesse ou en curé, dès lors le voilà réputé méconnaissable.

En fait, pour transformer sa frite, faut user de moyens importants, en appeler à la chirurgie esthétique, aux teintures, tout le cirque et son train, comme disait papa. « Le cirque et son train ! » Il raffolait la formule. J'étais chiare. J'imaginais un cirque démonté sur des wagons sans toit. On voyait le cul de l'éléphant qui dépassait, sa trompe aussi, pareille à une grosse bitoune désœuvrée...

Malgré mon scepticisme, je me suis appliqué à retoucher quelque peu mon personnage. Je t'ai dit, plus avant dans ce chef-d'œuvre, avoir fait des emplettes avant de quitter Salto. Ben s'agissait de ça, ma biche : des postiches. Collier de barbe avec baffies, grosses lunettes aux verres neutres, chiques de caoutchouc pour se gonfler le bas de la hure ; toute la panoplie de l'agent secret 000 dans les films classés « Q ». Exactement la tradition grotesque que je réprouve.

Ainsi « modifié », je me présente dans l'établissement de cure où est en traitement *Herr* Schlmmfr (le seul patronyme sans voyelle qu'il m'ait été donné de rencontrer).

Je le trouve au bord d'une piscaille de six mètres sur trois, ragoûtant comme la résultante d'une diarrhée intempestive.

C'est un gros vieux à cheveux blancs teutonnement taillés en brosse. Il a le regard délavé et les bras complètement investis par cette maladie de cause inconnue. Ses membres supérieurs sont d'un rouge violent, couverts de squames friables. Il est souhaitable qu'il n'exerce pas le noble métier de boulanger car je le verrais mal pétrir la pâte à pleins brandillons.

Je m'accroupis à son côté et l'à-brûle-pourpointe sans sommations :

– *Herr* Schlmmfr ?

– *Ja.*

Je tire ma brémouze de poulardin, la masquant adroitement pour que seul le mot « police » apparaisse, et la lui passe devant le tarin à la vitesse de l'étoile filante en perdition selon mon tour de passe-passe coutumier.

– Police ! que je sous-titre oralement.

J'ajoute en allemand issu de Germain :

– Puis-je vous poser quelques questions ?

Le dabe éberlue que c'est tout juste s'il a la force d'acquiescer.

– Simple enquête de routine, fais-je. Il se trouve qu'à différentes reprises vous avez correspondu téléphoniquement avec un dénommé Kurt Vogel, habitant Montevideo.

Ce chleuh, il exorbite à s'en énucléer, tellement sa stupeur est intense. S'il me joue du pipeau, c'est en virtuose, espère.

– Quel nom, dites-vous ?

Je répète avec une docilité qui annonce l'impatience, comme le font toujours les flics en pareil cas. Mais le *frizou* branle le chef.

– Quand il m'arrive de téléphoner à Montevideo, c'est à ma fille qui travaille à l'ambassade d'Allemagne. Elle m'a trouvé ce lieu de cure pour soigner mon psoriasis ; je viens de Francfort et je ne connais personne d'autre que Greta, en Uruguay.

– Alors pardonnez-moi, il s'agit probablement d'une erreur, bats-je-t-il en retraite (devant un Allemand, c'est dur).

***

Ma seconde visite est pour une certaine Rosalyn Never, de Manchester ; d'une soixantaine d'années, très mince et très étroite, qui ressemble à sa radiographie affublée d'un masque pourpre. Toute sa pauvre gueule est suppurante, et ce qui ne l'est pas s'émiette comme du biscuit trop sec.

Je réitère mon numéro du policier mandaté pour une opération de routine. Elle est britiche, donc impassible, et mes questions ont l'air de la troubler autant que la chute de la roupie pakistanaise.

– Je ne sais de quoi vous parlez ! fait-elle. Je n'ai jamais appelé Montevideo pour la simple raison que je ne connais personne dans cette ville.

C'est net, proféré d'un ton tranquille, sûr de soi et dominateur. Force m'est de m'emporter, bredouille. Je la quitte à reculons, en me demandant anxieusement ce qui pourrait différencier le visage de cette femme d'un cul de singe, si ce n'est qu'il m'est arrivé de rencontrer des culs de singes sympathiques.

***

Tu le comprendras (et si tu ne le comprends pas, écris-moi en joignant un timbre pour la réponse), c'est en grande persuadance de trouver, cette fois, le correspondant de feu Vogel que je comparais devant mon dernier sujet.

A peine l'entr'asperge que je me sens bité par vingt centimètres en profondeur ! Mon troisième essai ne sera pas plus transformé que les deux précédents. Au premier regard, je me dis : « Impossible ! » La personne devant qui je me présente, dans le salon d'été de sa maison de cure, rampe sur ses quatre-vingts hivers.

Compteur à gaz dans le dos, rides semblables aux caroncules pourpres d'un dindon, cécité quasi totale, agrémentée de lunettes aux verres bleus, moustache grise, cannes anglaises, forte odeur d'urine et de sirop mentholé, tel est mon ultime suspect. Son seul physique suffit à « l'innocenter ».

– Vous avez l'accent français, me fait-elle, l'êtes-vous ?

– Un peu, bafouillé-je.

– Comme tous les Roumains, j'aime infiniment votre pays.

Elle jacte notre dialecte impeccablement, avec une délicieuse prononciation qui ferait des malheurs dans mon slip si elle avait ne serait-ce que quarante ans de moins.

Malgré tout, je me sens navré corps et âme. Il m'a drôlement niqué, mon lutin intérieur, qui me promettait l'embellie pour tout de suite et peut-être avant !

La vioque sourit, ce qui met quinze rides supplémentaires sur sa face gondolée.

Du moment que je suis à pied d'œuvre (voire de chef-d'œuvre), je lui demande si elle a des attaches à Montevideo. Ça semble l'amuser :

– Grand Dieu non, je ne connais personne en Bolivie !

– Cette ville se trouve en Uruguay, je la géographise.

Pour elle c'est Cinzano-Dubonnet. Elle jouit d'un cerveau qui la fait jongler avec les réalités mappemondiennes. Mais à son âge, est-ce bien grave ?

Nous échangeons encore quatorze mots, dont l'un coupé par un trait d'union, si l'on peut dire, et je lui tire ma révérence.

L'oreille basse (la queue, c'est impossible), je quitte l'établissement thermal. A cent mètres de là, le Gravos m'attend. Ces dispositions ont été arrêtées par moi à la suite de l'appel reçu à l'hôtel. Il faut ouvrir en grand les yeux de devant et les yeux de derrière. C'est pourquoi nous sommes convenus que Sa Majesté « me couvrirait » de loin, pour si des fois y aurait un « tour-d'à-l'œil », disait grand-mère, ce qui pourrait se traduire dans le langage d'aujourd'hui par « coup fourré ».

Alors bon, le Sana, penaud comme Jules Renard qu'une poule aurait emballé, se met en branle pour rejoindre son péone, lui avouer le cuisant échec qu'il vient d'encaisser.

Je ne suis qu'à six pas de lui lorsqu'un véhicule du genre grande Jeep capotée, débouche à tombeau ouvert et freine en portant ses tambours à l'incandescence.

Deux hommes en tenue vaguement militaire jaillissent de la guinde, me bondissent sur le paletot avant que j'eusse un mouvement des sourcils, m'estourbissent d'une matraque caoutchoutée et m'alpaguent.

Envapé, enveloppé, emporté, je me retrouve dans la Jeep, au côté de l'un de mes ravisseurs, en moins de temps qu'il n'en faut à une péripatéticienne marseillaise pour transformer sa babasse en tirelire.

Au volant de la tire l'est un gusman coiffé d'une casquette de toile qui ne s'est même pas retourné. Il décarre à fond la caisse et je te prie de croire qu'il sait se servir d'un volant et d'un accélérateur.

Ma tronche fait un peu la toupie ronfleuse.

Le toton, qu'on disait jadis. Plus exactement, ma matière grise tourbillonne dans ma boîte crâneuse.

Le gazier ayant pris place auprès de moi m'a passé des menottes sans que j'en eusse conscience sur l'instant. Donc, il s'agirait de perdreaux ? Je ferme les yeux pour essayer de réprimer la gerbe qui m'empare. Pourvu qu'ils m'aient pas défoncé la coquille ! On dit que ça flanque la nausée, une fracture.

Je pense à mon Béru, laissé pour compte sur la voie publique. Privé de moyens de locomotion, il n'aura pu filocher mes ravisseurs. D'autant qu'il n'y a pas de taxoches à Dayman, du moins à ma connaissance.

On roule, roule. Je dodeline, line. Mes douleurs crâneuses, loin de se calmer, deviennent plus intenses. Tu paries que ces salauds m'ont fracturé la caberle ?

Autour de moi, ça s'opacifie à toute vibure. Me semble être prisonnier d'une porte-tambour qu'on ferait girer de plus en plus vite. Alors un grand détachement m'isole de l'univers. Me sens dominé par un total fatalisme. Ma tempe entre en contact avec l'épaule de mon voisin de parcours ; d'une bourrade brutale, il m'envoie à dache. Mais je déclare forfait avant d'y parvenir.

CAPITULO VEINTICUATRO

Ça pourrait être pire.

Mais c'est mieux.

Magine une pièce blanchie à la chaux, éclatante, comme toujours dans les pays du sud d'influence ibérique.

Une fenêtre aux montants peints en bleu *king*. Sur le sol fait de vieux carreaux de terre cuite, un tapis de style péruvien. En fait de meubles, une sorte de commode-burlingue de bois clair, une table aux pieds tournés, deux chaises espagnolisantes à haut dossier doré, plus le lit également ibérique sur lequel je gis, dûment entravé.

Le lieu est paisible, presque romantique. En d'autres circonstances, j'y ferais volontiers étinceler une pécore, n'importe sa race et la couleur de ses poils pubiens. Mais je souffre trop de ma coupole pour vagabonder dans le stupre, le mysticisme ou l'engagement politique. L'homme qui a mal à soi-même n'est guère bon qu'à pleurer sur son sort, et le reste de l'existence naufrage dans les improbabilités.

Un truc, pourtant, auquel je suis sensible, c'est l'abeille qui erre sur les carreaux de la croisée. Comme elle est à l'intérieur, j'espère qu'il ne lui viendra pas le fâcheux caprice de me butiner la frime ! De temps à autre, l'insecte s'énerve de ne pas trouver d'issue et bourdonne rageusement. Et puis il se calme et poursuit son errance stérile.

Curieusement, malgré ce que j'endure, j'ai les crocs. Je boufferais volontiers une platée de « chili con carne » comme il y en a dans toute l'Amérique du Sud. Je la voudrais bien pimentée avec, pour l'accompagner, une boutanche de vin chilien. Donc, je ne suis pas à l'article de la *muerte*. Un mourant n'a pas faim, généralement.

Parfois, j'ai une pensée pour Elephant Man qui doit remuer son gros cul à me chercher. Mais comment saurait-il y parvenir dans ce pays dont il ne parle pas la langue ?

Franchement, la situation manque de confort. J'ignore ce qu'annonce mon horoscope du jour, mais s'il fait dans les tons azur, c'est qu'il est bidon.

Dans ce genre de narration, une chose est chiante, c'est de vouloir donner au lecteur la notion du temps qui passe. Pour ce faire, t'uses de palliatifs : tu dissertes sur des lieux communs creux comme un programme politique, t'évoques ta première communion, ta première chaude-pisse, ton premier coït, ton dernier turlute. Tu parles de Zanzibar, des îles Sous-le-Vent, des bites-sous-le-ventre, de la rouquine Fergie dont les poils de la chatte ont pris feu au cours de sa dernière baisance (par mesure de précaution, elle ne peut plus se faire tirer désormais qu'au bord d'une piscine). Bref, tu biaises. Dommage : t'as l'air de pratiquer le remplissage organisé, alors que mézigue, au contraire, j'ai jamais suffisamment de place pour tout raconter, tellement j'abondance.

Mais enfin, bon, les heures tournent. Une monstre envie de licebroquer me tend les bretelles. Ça, plus les crocs et un début d'ankylose, fait que je suis fadé. Ma vessie prend le pas sur mes autres préoccupations. Qu'à la fin, tant mal que bien, suis contraint de la vider sur la descente de lit.

Au moment que le jour décline, je perçois du bruit de l'autre côté de la lourde. Celle-ci s'ouvre et les lascars qui m'ont kidnappé se pointent. C'est alors que je vois le chauffeur de face. Une brutale médusance m'assèche quand je reconnais Alonzo Troquez, le gazier que j'avais saucissonné dans la grange délabrée, près de Montevideo. Il semblerait que son ange gardien lui soit venu en aide, non ? Curieusement, au lieu de me glavioter à la frite, il feint de se désintéresser de moi, ce qui ne laisse pas de me troubler, comme me disait l'autre soir le bon M. Pasqua, Premier ministre par contumace.

Ces sortes d'archers amènent deux chaises avec eux, qu'ils placent à droite de mon plumard, face à moi. N'ensute, dirait Béruchol, ils attendent, avec une infinie patience, la venue de personnages que je suppose considérables, si j'en juge aux préliminaires.

L'un d'eux fait observer aux autres que ma braguette bée, comme une craquette de bourgeoise devant mes jeux de mots.

Effectivement, si j'ai pu me dégrafer à l'aide seulement du pouce et de l'index disposés en pince à cornichons (disons à concombres, pour mieux cerner la vérité), il ne m'a pas été possible, vu mes liens d'acier, de procéder à l'opération inverse.

Courte palabre à voix chuchoteuse du trio, puis celui qui a remarqué ma négligerie, se risque à la rectifier.

Sur ces entrecouilles, deux personnes font leur entrée. Un couple. Les arrivants portent un loup de velours noir. La femme a des cheveux blonds, des gants d'automobiliste et une paire de loloches qui te donneraient envie d'être exclusivement nourri au lait de dame. Son compagnon est enveloppé, sans être vraiment corpulent, il a le front dégarni, avec une cicatrice en forme de trèfle au-dessus de l'oreille gauche, consécutive, je gage, à une balle déviée par le pariétal.

Le tandem s'assied sans un mot et se met à me frimer à travers les trous des masques d'étoffe.

Bibi, l'homme qui pense plus vite qu'il éjacule (Dieu merci !) se dit : « Ces grands inquisiteurs n'ont pas l'intention de me supprimer, sinon ils se montreraient à visage découvert ». C.Q.F.D., non ? Du coup, l'espoir revient dans mon camp et, bon gré mal gré, ce que je ressens pour les deux arrivants relève de la tendresse qu'on porte à ses vieux parents fêtant leurs noces d'or.

A tout hasard, je leur souris.

– Si je ne vous suis pas totalement antipathique, de grâce demandez qu'on desserre un peu mes liens, leur fais-je. Je suis à ce point engourdi que je crains fort de ne jamais pouvoir remarcher !

J'ai parlé en espagnol de faculté ; mais ils doivent l'avoir compris, car le presque chauve enjoint à ses sbires de délier mes jambes et de remplacer les dures entraves par de simples menottes aux chevilles.

Les gardes font droit à sa requête.

Mon sang met du temps avant de circuler convenablement dans le complexe réseau que m'a fignolé Félicie. J'ai davantage mal, maintenant qu'on m'a libéré des fils d'acier et j'éprouve d'effroyables brûlures dans tous les muscles. Mes souffrances sont si vives que je ferme les yeux.

– Navré, fais-je, mais la douleur est intolérable !

La femme s'incline vers son compagnon et lui chuchote quelques mots. Alors le type opine. Il ordonne à l'un de ses pieds-nickelés de me masser, à un autre, de me servir un verre d'alcool.

Dis, ça paraît baigner pour ma gueule. Voilà que j'ai la cote, à c't' heure !

Comme quoi, dans la vie, tu vois, Éloi, faut jamais désespérer !

CAPITULO VEINTICINCO

Une fois ma circulation jambière à peu près rétablie, le chauve-à-la-cicatrice me demanda si je voulais bien que nous eussions une conversation « libre », lui et moi. Je lui répondis que tel était mon vœu le plus coûteux ; il parut satisfait par cette réponse sans ambiguïté et me tint à peu près ce langage :

– Je crois savoir que vous dirigez une très importante section de la Police parisienne. Vous êtes quelqu'un de haut placé et de particulièrement estimé.

Irrité par ce préambule plein d'ampoules, je l'interrompis pour le prier d'enclencher la vitesse supérieure, ce dont il.

– *Señor director*, j'ai trois questions à vous poser.

– En ce cas, révélez-les, lui ai-je-t-il conseillé avec une courtoisie qui celait mal mon agacerie.

Pourquoi ce chauve-cicatrisé me courait-il

sur la grosse veine bleue, alors qu'il s'efforçait à la bonhomie ? Un je-ne-sais-quoi dans sa personne me contristait. Sa voix ? Son odeur ? Un poulardin est un animal, dans son genre ; un chien qui réagit au fumet de ses interlocuteurs. Des fragrances sourdaient de lui, plus ou moins ténues, qui me flanquaient moralement la gerbe.

– J'aimerais savoir, reprit ce gonzier bizarre, primo, ce que vous trafiquiez avec Vogel, ou du moins pourquoi vous l'avez recherché jusqu'en Uruguay ; secundo, ce que sont vos relations avec les Services secrets britanniques implantés à Montevideo ; tertio, ce que vous êtes venu chercher à Dayman.

Il se tut, croisa ses mains en potelance sur son début de ventre et me darda d'un regard ombreux à travers les trous de son loup.

La femme qui l'escortait gardait le silence. Des questions me trituraient la coiffe, à son propos. Qui était-elle ? Quel rôle jouait-elle dans ce sac d'embrouilles ? Sa silhouette me donnait à rêvasser.

Jugeant politique de répondre aux questions du type, je le fis avec clarté et une totale franchise :

– Vogel était un terroriste international qui a beaucoup sévi en Europe, notamment à Paris où il fut blessé au cours d'un de ses méfaits.

J'ai eu à m'occuper de l'affaire. Je l'ai, cela dit, fort peu connu car il s'est évadé presque tout de suite de l'hôpital. Récemment, les Services secrets britanniques, ayant su qu'il séjournait en Uruguay, m'ont proposé de m'allier avec eux pour le débusquer et participer à sa capture. En arrivant à Montevideo, j'ai eu la surprise de constater que la police uruguayenne connaissait parfaitement sa retraite et qu'elle le tenait à l'œil. Pour une raison que je ne comprends encore pas, le lieutenant Ramirez a ordonné qu'on abatte l'homme pendant que je me trouvais chez lui et a fait accuser mon assistant. J'ai pu déjouer ce plan quelque peu machiavélique.

Comme je me tais, le zigomuche demande, derrière son chiftire noir :

– Et les Britanniques ?

– Rien !

– C'est-à-dire ?

– *Wait and see !* Ils ont flanqué une péteuse dans les bras de mon collaborateur, lequel est très porté sur le sexe, et ont attendu que je sorte les marrons du feu, selon leur bonne habitude.

– Maintenant, expliquez ce que vous faites à Dayman.

– En fouillant dans les tiroirs de Vogel, j'ai trouvé ses relevés téléphoniques. J'ai constaté qu'il appelait parfois quelqu'un habitant cette localité.

– Vous avez découvert son correspondant ?

– Non !

– Vous mentez !

L'exclamation a jailli avec une telle spontanéité que j'en suis bobet, comme on dit à Fribourg.

Je sourcille, ma mâchoire se crispe et mes sphincters condamnent hermétiquement mon issue sud.

– Je déteste qu'on me traite de menteur, monsieur Medialunas ! grondé-je.

Du coup, le mec sursaille comme lorsque tu t'assieds sur un boa constrictor que tu as pris pour un pouf biscotte il se tenait lové.

A peine ai-je lâché ce nom que je m'en mords les dents. Oh ! l'imprudent Sana !

– Hein ! qu'il éructe, le loup-garou uruguayen.

Et bibi, au lieu de chercher à écraser le coup, se met à plastronner :

– Élémentaire, mon cher Watson : en installant ces chaises, l'un de vos hommes a prononcé votre nom. A voix basse, certes, mais j'ai l'ouïe fine.

Il doit pousser une expression plutôt sinistre, le gusman. La manière dont il défrime fixement ses manars donne à penser qu'ils ont d'ores et déjà un bel avenir derrière eux !

Un silence épais comme une soupe de gruau s'abat sur nous. Je l'à-profise pour bien prendre les mesures de la situation. Ayant l'avantage spectaculaire de posséder un cerveau en comparaison duquel celui de Blaise Pascal aurait ressemblé à de la mayonnaise tournée, je tire de promptes conclusions de ce que je viens d'apprendre.

Medialunas a su que nous nous trouvions à Dayman. Il a illico pigé que nous recherchions la relation épisodique de Kurt Vogel que lui connaît. Alors il veut nous intercepter. Pour cela il lui suffit d'établir une planque près de la maison de cure fréquentée par le (ou la) correspondant(e). Piège simpliste qui fonctionne à tous les coups, c'est le B.A. BA de la police.

Poussant plus avant mon raisonnement, je décide que la personne recherchée se trouve dans la troisième maison de cure que j'ai visitée. Mais il ne saurait s'agir de la vénérable nonagénaire qui...

Putain d'Adèle ! Le grand flash, mec ! Plus intense qu'une aurore boréaleuse. J'ai l'éblouissante révélation. Pleins feux sur mon génie ! L'être auquel le terroriste téléphonait, parfois, dans cette ville, ce n'était pas un complice. Non : *c'était sa mère* ! Je me concassais le caberluche à imaginer mille coups tordus, et la vérité s'avérait d'une simplicité spectrale. Ce grand méchant tueur portait une plaie sous sa cuirasse, ainsi qu'il est dit en littérature reliée pleine peau (de zob) : sa vieille *mother*. Nonobstant sa vie galéreuse, il veillait sur elle. Lui avait trouvé une résidence en Uruguay où elle soignait son psoriasis dévastateur. Il l'appelait, temps à autre, pour garder le contact. Peut-être espérait-il la prendre un jour chez lui pour qu'elle eût une fin d'existence sereine ? Va-t'en connaître les dédales (y en a qui emploient « dédaux ») de l'âme !

Je reviens au chef inspecteur Medialunas.

– Vous penserez ce que vous voudrez, mais je comprends seulement à la seconde, lui affirmé-je. En sortant du dernier établissement, je croyais avoir fait « chou blanc », comme on dit en France, cela parce que je cherchais un complice. En réalité, le correspondant de Dayman, c'était sa mère ! Très tôt, Vogel avait réalisé qu'elle constituait son talon d'Achille. Alors il lui a fait quitter l'Europe et l'a installée discrètement en Uruguay. Il avait décidé que ce pays serait celui de sa retraite.

Le poulardin arrache son loup d'un geste brusque.

– Je ne pensais pas vous supprimer, me dit-il, mais vous êtes au courant de trop de choses, n'est-ce pas ?

– Naturellement ! admets-je d'un ton plaisant.

Il a une très sale gueule, l'officier de police. Je le préférais avec son chiftire noir sur la frime. Ça lui donnait un petit air romantique à la Zorro qu'il est loin de posséder.

Il lance à ses concertistes :

– Faites-lui une piqûre. Ensuite vous irez le jeter dans le fleuve, convenablement lesté.

Il se penche sur sa muette compagne et se met à chuchoter à son oreille ; sans doute lui demande-t-il ce qu'elle pense de sa décision. La bougresse ne doit pas la juger conforme car elle dénègue. Il insiste puis, impatienté, l'entraîne vers la sortie.

Déjà, l'un des trois péones prend une petite boîte chromée dans sa poche pour procéder à la « fatale injection ».

Putain que c'est con ! Je déteste la manière dont ça tourne court. Ils ne vont pas me liquider aussi sec ! J'ai encore beaucoup à faire, des pages à écrire, des dames à baiser ! Me faut trouver quelque chose, n'importe quoi.

– Dites donc, Medialunas...

Il atteignait la porte, s'effaçant pour laisser passer la femme.

– Vous êtes un peu hâtif dans vos décisions, *amigo*, dis-je. Quand on veut se débarrasser d'un gêneur, on s'assure auparavant qu'il n'a plus rien à vous apprendre.

Il revient sur ses pas et se plante à un mètre de ma pomme, l'air vindicateur.

– Qu'entendez-vous par là ?

Je soutiens son regard faisandé.

– Vous aimeriez savoir où se trouve votre valeureux chef, le lieutenant Ramirez ?

Il abasourde.

– Vous le savez, vous ?

– Peut-être. Mais faites-moi donc ôter ces saloperies d'entraves qui ne sont pas dignes de nous.

– N'y comptez pas !

– Très bien, alors je vais emporter mon secret dans la tombe. Bonne continuation, collègue !

Je me mets à fredonner un succès d'Aznavour, imprimé sur papier d'Arménie.

CAPITULO VEINTISEIS

Le self-control, qu'on le veuille ou non, ça paiera toujours. Combien de gars sont morts violemment pour avoir bédolé dans leur bénoche au lieu de désinvolter ? Je te l'ai mille fois seriné : le pleutre provoque les sévices, alors que le gazier sans faiblesse impose le respect.

Dans mon cas, c'est la dame qui fléchit ; peut-être ma séduction opère-t-elle ? Je sais d'expérience que les moukères, qu'elles soient tendrons ou vieilles guenuches, réagissent à mon sex-à-poil (dit Bérurier). La voilà qui chope ce gredin de Medialunas par une anse et l'entraîne à l'écart : brève jactance. Ils reviennent.

A contrecœur, le chef drauper me fait libérer. Puis il essaie de goguenarder, histoire de démontrer qu'il n'est pas ma dupe.

– Qu'avez-vous à m'apprendre au sujet du lieutenant ? dit-il.

Question incontournable, qui me perplexite, bien que je l'eusse provoquée. Réflexion rapidement faite, ma conduite consiste à lâcher du lest, mais pas trop :

– Ramirez est mort !

Là, il n'est pas seul à tiquer, ses assistants exclamationnent à qui mieux mieux en roulant des lotos propices à une énucléation collective (Afflelou vous l'offre).

– De quoi est-il mort ?

– Les gens qui ont organisé l'attentat contre le président l'ont assassiné.

– Il était au courant de ce qu'il se préparait ?

– Il venait de découvrir le complot, mais n'a pas eu le temps d'intervenir.

– Comment le savez-vous ?

– Je l'ai appris des Britanniques !

Et allez donc ! Pourquoi ne les mouillerais-je pas un chouïe, ces Rosbifs pleins de morgue ? Après tout, ils m'ont attiré dans ce guêpier.

– Ce sont eux qui ont commandité la chose ?

– Je l'ignore.

Il a un élan de rage que mon jardinier portugais qualifierait d'incoercible. Il se précipite sur moi et noue ses grosses mains à mon cou tout en me flanquant des coups de genou dans les pendeloques à noyaux. C'est si rapide, si violent, il y met une force si grande qu'en moins de jouge me voici défailleur. En complète asphyxie.

Je tente de le refouler, mais ce fumelard est fort comme dix *toros* de combat.

– Arrêtez ! fait la femme en tirant sur la manche du flic pourri.

Durant quelques instants, Medialunas ne relâche pas sa pression. Tout se brouille dans mon bulbe. Mes idées gélatinent, j'ai la flamme d'une lampe à souder en guise de glotte. Et puis je dérouille un dernier coup de rotule là où les dames aiment tant à me caresser et je m'écroule : le sagouin vient poser son pied sur ma poitrine, pour la photo du vainqueur, *probably* ? Il se croit Raimu dans *Tartarin de Tarascon*, ce gros dégueu !

A présent, sûr de soi, il enjoint à ses hommes de m'étouffer.

Faut reconnaître qu'il a du personnel complaisant, car le dénommé Alonzo Troquez se présente fougueusement en qualité de volontaire d'élite. Il prend un oreiller sur le lit que j'occupais et le plaque sur ma figure pourtant tellement digne d'intérêt. D'une soubresauterie désespérée, je le désarçonne. Rendu furieux because Medialunas le traite de *crétino*, ce louche subalterne veut me mettre sa grolle dans le faciès. J'ai le bonheur de pouvoir saisir son paturon au vol, le lui tords si sèchement que ça se déboîte dans ses osselets et qu'il pousse des cris de cantonnier dont la moitié inférieure du corps est engagée sous le cylindre d'un rouleau compresseur.

Mon obstruction caractérisée rend Medialunas complètement enragé. Ses deux autres niaques bondissent pour rescoussir. Le premier prend un shoot carabiné dans les joyaux de la couronne. Il démange son dernier repas en appelant à grands cris d'Indien son cousin Hugues. Douché, le deuxième devient circonspect. J'en profite pour me remettre droit d'un magnifique rétablissement. J'empoigne alors une chaise et l'assène sur le physique ingrat de mon tourmenteur.

A cet instant, une douleur me fulgure à la cuisse gauche : le péone vient d'y enfoncer son ya ! Le courage du valeureux Sanantonio ridiculiserait Bayard, mon compatriote, lequel avait pourtant un courage-étalon que tu peux aller admirer au Pavillon de Breteuil. J'arrache la lame de ma chair et la plonge toute chaude et sanguinolente dans le burlingue de ce salaud, lequel se met à faire des bulles irisées dans le soleil qui envahit la pièce.

– Tu es donc le diable ! tonne le chef inspecteur en dégainant un crématorium de poche de son holster.

Il le brandit, ivre de fureur.

Une terrifique détonation retentit.

Et cela fait comme dans les films ricains, si palpitants. C'est l'inspecteur-chef qui fait une cabriole arrière et s'abat telle la reine de [1]. Poum ! *Muerte* ! Un pruneau dans le cassis, presque entre les châsses. Décidément, on joue « Sale temps pour les flics », dans ce pays !

A travers un nuage qui pue la poudre, j'aperçois une silhouette qui ne m'est point inconnue, en survient une seconde également identifiable, puis une autre encore carrément familière, celle-là.

– C'est pas qu' j' voudrasse me vanter, fait-elle, mais j'croive qu'on arrive n'à point !

– Béru ! proféré-je avec onction, émotion, reconnaissance et tout ce qu'il te plaira d'ajouter de positif.

– N'était moins une, hé ?

J'ai le cœur chaviré de gratitude et je sens croître mon anglophilie en découvrant sir Raidcomebar et George son auxiliaire (qui est pour moi, l'auxiliaire « être », car sans son intervenance, hein ?).

Mon élan du cœur m'inciterait à presser ces deux mannequins contre moi pour les remer-

1. Saba.

cier, mais leurs bouilles en coin de King's Road me stratifient les élans de l'âme. Un Anglais, il a beau te sauver la vie, t'as pas le courage de lui donner des bisous mouillés pour autant. Y a empêchement.

Ainsi moi, si j'étais un homo-qui-lave-plus-blanc, jamais je pourrais enfiler un Rosbif, fût-il aussi séduisant que le prince Charly avec ses éventails d'éléphant, son nez en épine dorsale de bique calabraise et son pauvre regard en gouttes de foutre, qui exprime si magistralement l'ennui, la détresse du constipé chronique et l'inappétance pour les fonctions qui seront peut-être les siennes un jour. Ce pauvre biquet a toujours l'air de mettre à jour sa collection de timbres dans les courants d'air de son château écossais. Je me rappelle une interview de lui, réalisée dans son potager. La seule fois où je l'ai entendu causer distinctement, c'était lorsqu'il donnait la recette pour « ramer » les petits pois. A lire sa passion sur sa frime de tapir grippé, on en venait à lui souhaiter de faire carrière chez les prestigieuses conserves Hero.

Tu vas me reprocher de trop parler de ce granc [1] inutile dans un livre presque uniquement voué à l'action ? Sache, ami, que j'ai

1. Granc : diminutif affectueux que San-Antonio donne à des gens célèbres qui lui tiennent particulièrement à cœur et qui est un raccourci de « grand con ».

besoin de laisser « respirer » ce bouquin pour la salubrité de mon texte, voilà pourquoi je crée la détente avec des digressions sur les vents de Bérurier ou des évocations de M. Galles préparant son règne devant des papillonacées sur tuteurs.

Cet élan de vigoureuse reconnaissance passé, je lance le cri d'un chef sioux qui n'a pas reçu son cachet de la Metrogoldwin Durand.

– Quoive ? bavochent ces deux quintaux d'amitié qui ont nom Bérurier.

– La fille ! crié-je à porte-voix. Elle a filé !

Mon presque homologue britannouille de mes chères niques émet un juron guère usité en Grande-Bretagne depuis le camp du Drap d'Or qui tant fit chier cette grosse gonfle d'Henri VIII.

– George ! lance-t-il, il faut la récupérer coûte que coûte !

Le grand à tronche de paf mollet se précipite, suivi de Béru.

– Vous êtes blessé, *my dear* ! qu'il me dit, sir Machin.

Crois-moi ou va te faire décaper l'oigne au rince-bouteille électronique, mais j'avais oublié le coup de lingue du méchant. Fectivement, mon « bioutifoul » grimpant crème comporte une longue entaille par laquelle mon raisin gicle. Franchement, c'est dommage de voir se perdre un sang de cette qualité.

– Baissez votre pantalon, San-Antonio, je vais vous panser.

– Avec quoi, *my dear* ?

– Je trouverai ! promet-il en quittant la pièce.

En son absence, je considère notre tableau de chasse. L'homme à la rotule fanée vient de dégainer un riboustin plus mahousse que ceux dont se servent les tapissiers pour agrafer du tissu contre les murs. Rendu furax par cette persistance nocive, et malgré ma blessure, je lui shoote la mâchoire avec tant d'énergie que son tiroir du bas vole en éclats, ce qui le fait ressembler à une commode de brocanteur.

Vais-je enfin pouvoir respirer, putain d'Adèle ?

Que nenni ! Cris à l'extérieur :

– Plombe-la, bordel à cul ! Défouraille, merderie d'Angliche ! Ah ! si j'aurais mon arquebuse !

Je me rue à la fenêtre. J'aperçois la Jeep de mes ravisseurs qui fonce en direction d'un portail de bois. Pour l'atteindre, elle doit obligatoirement passer devant la fenêtre de « ma chambre ».

Quel dommage que des instants de cette qualité ne soient pas tournés en vidéo pour la formation des jeunes flics. En quatre secondes j'ouvre la croisée, saute sur le rebord de briques, puis me propulse sur la capote tendue du véhicule. Je manque la dépasser, mais non : je chois bel et bien dessus.

Dans un accéléré vertigineux, je me rends compte que le portail cité plus haut est fermaga. La conductrice qui n'a pas froid aux miches ne ralentit pas et l'embugne d'autorité. Rrrrrran ! La clôture cède, telle une bourgeoise à un collégien. Je faillis être éjaculé de la capote, mais mon sens de l'équilibre me vaudrait des proposes du cirque Barnum. Je parviens à conserver ma position précaire. Tout de même, la fuyarde a décrit une embardée biscotte cette caisse est haute sur pattes. Bon à savoir !

Tout en faisant un peu plus que l'impossible, je réussis à sortir ma lime à ongles de ma poche. La saisis entre mes dents, qu'heureusement ne suis pas râtellisé comme des moudus que je sais, et parviens à la planter dans la toile. Pas fastoche. Je mets au défi n'importe qui ne disposant pas d'un damier complet d'y parvenir. Mais craaaac ! Le tissu se fend kif le bénouze de Bérurier quand il ramasse un préservatif usagé sous les fenêtres d'un hôtel de passe pour s'en faire une blague à tabac.

Une fureur me galvanise. Tout en demeurant désespérément cramponné, j'élargis la fissure qui, en peu de temps, se mue en une ouverture suffisante pour laisser passer ma main.

Alors, mettant à profit un ralentissement imposé par la circulation, j'agrandis le trou qui devient brèche, y insère mon visage de Casanova pour noces et banquets.

– Vous devriez stopper, chère petite madame ! lancé-je à la conductrice. Toute la ville nous regarde et les flics du coin vont intervenir d'une seconde à l'autre.

Je pense que c'est ma voix unie qui la décide.

Elle freine.

CAPITULO VEINTISIETE

Maintenant, me voici à côté d'elle.

D'elle qui, de sa main gantée, pianote le volant de la Jeep. Elle paraît détachée, lointaine, presque indifférente. Pis : résignée.

Rien qui ne me fasse davantage mal à l'âme qu'un être acceptant les dures foirades de son existence. Il me rappelle une scène africaine : un guépard s'attaquant à une antilope.

A la course, il est niqué par la bique, le fauve. Alors il en vient à la ruse, s'approche au plus près de sa proie en se dissimulant pour la charger, sachant que l'élément de surprise va lui être profitable. Il doit lui sauter sur le poil avant que la pauvrette n'ait organisé sa panique. Un bond prodigieux ! Ses griffes et ses dents s'enfoncent dans le corps de la cousine lointaine de « Blanchette Seguin ». *Herido de muerte !* Un joli cadavre vite éventré. Des babines dégoulinantes de sang. Et la savane imperturbable sous le dur soleil.

Quelque part, c'est d'une grandeur féroce : la vie requérant la mort pour pouvoir se prolonger !

J'ai une habitude, presque une marotte : lorsque je suis en voiture avec une inconnue qui la pilote, je me tiens adossé à la portière pour mieux contempler la conductrice.

Celle-ci est plutôt belle, mais avec des détails physiques qui me gênent. Ses verres de contact lui composent un regard globuleux. Ses narines sont épatées comme si la femme trimbalait des origines vaguement négroïdes. Sa bouche est lourde, ainsi que le bas du visage. Elle a çà et là, des boutons rouges sur les joues. Je déteste sa coiffure d'un vilain blond clair d'Ophélie à la manque : elle tombe, raide, sur ses épaules. On déplore confusément son manque de grâce. Je lui trouve un vague côté travelo qui éveille en moi d'obscurs regrets.

Je lui ai ordonné de remiser la chignole au bout d'un chemin de terre escaladant un promontoire duquel on obtient une « vue générale » de la contrée. D'où nous sommes, on aperçoit le fleuve Uruguay qui a déjà revêtu sa sale teinte brunasse. Sur la droite, au loin, les premiers contreforts de la cordillère des Andes qu'une brume de chaleur rend incertains.

– C'est beau, murmuré-je ; bien que né sous un signe d'eau, je suis passionné de montagne.

Elle a un bref hochement de tête. Qui signifie quoi, au juste ? Qu'elle partage mon amour des cimes ?

En la matant dans le rétroviseur, j'obtiens une vue plus générale de son physique. Je la discerne de face, *you see* ? Et pour peu que je me penche, je saisis son profil gauche dans le réflecteur de portière. Une émotion presque capiteuse m'empare.

Je dis :

– Bien que la chose me laisse sceptique, j'ai quelque peu travesti mon apparence, vous l'aurez remarqué ?

Elle acquiesce.

– Vous n'avez pas été flouée un seul instant, n'est-ce pas ?

Là, elle dénègue.

– Les traficotages de gueule, c'est du gadget pour Tintin, soupiré-je ; ce serait trop commode de se fuir au moyen de quelques artifices de comédien ! Vous permettez ?

J'avance ma main gauche jusqu'à ses cheveux, les saisis par-derrière et soulève. Malgré les épingles qui la maintenaient à sa véritable chevelure, la perruque cède sans difficulté.

– Maintenant, continuez sans moi : je ne

vais décemment pas fourrer mes doigts dans vos yeux, vos narines et votre bouche !

De plus en plus docile, elle retire ses verres de contact ainsi que les plaquettes de caoutchouc gonflant son nez et le bas de sa bouche. En riant je l'imite. Deux étudiants farceurs !

– Vous oubliez vos faux bubons. Entre nous, ils sont mal imités ; vous savez que ce sont eux qui m'ont mis la puce à l'oreille ?

J'ajoute, pensif :

– L'automutilation est une chose horrible, surtout quand elle affecte une fille aussi belle que vous, Maria del Carmen.

Elle a une curieuse réaction : elle regarde l'immense tache pourpre qui s'étale sur mon pantalon et, lentement, après s'être dégantée, porte le bout de ses doigts à ma blessure.

FLASH-BACK

L'ANNÉE QUI PRÉCÉDA LES ÉVÉNEMENTS CI-AVANT RELATÉS

AVRIL

– C'est aujourd'hui que nous retirons les derniers fils, annonça le docteur Teufle.

Kurt Vogel eut un acquiescement silencieux. Ses cicatrices le faisaient souffrir de manière sporadique. Parfois, une sorte de bouffée embrasée léchait son visage. Le spécialiste de la chirurgie faciale lui avait affirmé que c'était normal.

« – La chair qui proteste, avait-il assuré. Mais ne vous inquiétez pas : elle finira par se résigner. »

C'était un gros homme porcin, très blond, aux cheveux coupés court. Il respirait fort en s'activant et, malgré son masque de gaze, Vogel avait été incommodé par ce souffle d'asthmatique.

Il dégagea les derniers brins de fil noir couturant la face de l'opéré. Lorsque ce fut terminé, tel un peintre devant son tableau, il recula pour s'offrir une vue d'ensemble de « l'œuvre ».

– Je pense honnêtement que c'est réussi, avança le praticien.

Comme le coiffeur, il se saisit d'un miroir à manche qu'il brandit devant son patient.

Vogel hocha la tête. Il n'aimait pas ces bourrelets violines qui continuaient de le défigurer. Son regard, surtout, le déroutait. On lui avait tendu les paupières, cela ôtait toute vie à sa physionomie. Il estimait que l'ensemble faisait un peu « Musée de Madame Tussaud ». Il se résigna : le temps gommerait les plaies et sa figure récupérerait sa mobilité. A force d'exister avec son nouveau visage, celui-ci accepterait sa personnalité profonde.

Il dit soudain :

– Vous aviez pris une grande quantité de photos pour étudier mes expressions, de même, vous avez exécuté nombre d'esquisses afin de définir ce que deviendrait ma gueule ; vous pouvez me les montrer ?

Teufle eut un sourire entendu.

– Tous mes patients ont une réaction identique : ils veulent confronter le présent au passé.

– N'est-ce pas logique ?

– Tout à fait.

Il se dirigea vers un grand classeur métallique sur lequel on avait peint des motifs rappelant l'acajou.

Pendant qu'il ouvrait les tiroirs, son patient s'approcha de la fenêtre donnant sur Sankt Pauli.

La nuit tombait. Dans ce quartier chaud de Hambourg, les trottoirs avaient retrouvé leurs alignements de prostituées que des marins en escale reluquaient avec impudeur avant d'engager la conversation. Des vendeuses de n'importe quoi, à la poitrine insolente, harcelaient les passants. Des ivrognes blonds, à tête de brute, quémandaient quelques pièces afin d'aller boire davantage. Tout ce qui déferlait dans ces rues paraissait louche et promis au vice, voire au crime.

« Drôle d'endroit pour ouvrir un cabinet médical », songea l'opéré. Sans doute que Teufle avait été radié de l'Ordre en raison de pratiques réprouvées. Il était venu s'installer là, sans plaque de cuivre à sa porte. Seul y figurait un nom imprimé chichement sur un bristol : « Aloïs Teufle ». De sa profession, il n'était même pas question. Cela ne l'empêchait pas de jouir, dans « certains milieux » (pour ne pas dire LE milieu tout court), d'une réputation flatteuse : « c'était un bon ! ».

– Voici votre dossier ! annonça-t-il en revenant lesté d'une forte enveloppe de papier kraft.

Vogel la prit, l'ouvrit, étala son contenu sur le bureau du chirurgien et examina chaque épreuve avant de tout remettre en place.

– C'est très bien, dit-il, satisfait.

Il tira de sa poche une liasse de gros billets de la Banque d'Allemagne et la tendit au médecin.

– C'est ce qui a été convenu ?

Son interlocuteur s'en empara avec une vivacité traduisant son soulagement. Il avait dû se faire truander plus d'une fois. Il compta les coupures avec une désinvolture qui ne cachait pas sa cupidité.

– O.K. ?

L'autre acquiesça.

– Si vous avez besoin de quoi que ce soit, murmura-t-il.

Il déposa l'argent sur son sous-main et plaça dessus un petit rhinocéros de bronze ramené d'un voyage en Indonésie. Puis il accompagna son client qui se dirigeait vers la sortie. Avant d'ouvrir la porte, ce dernier s'arrêta.

– J'allais oublier !

– Quoi donc ? s'inquiéta le docteur Teufle.

Il ne comprit rien aux mouvements fulgurants de l'opéré. Celui-ci appliqua son bras gauche contre la nuque du médecin dont il empoigna le menton de la main droite, et donna une forte secousse. Le praticien mourut instantanément.

Vogel « soulagea » la chute du corps. Ensuite, il revint au bureau pour y prendre l'enveloppe aux photos.

Il ne récupéra pas les billets de banque : ceux-ci étaient faux.

JUIN

Elle fut prête avant l'heure convenue et décida d'aller boire un *cappuccino* sur la terrasse. En réalité, il en existait plusieurs, superposées, qui descendaient jusqu'au lac. Des statues aux attitudes improbables se découpaient sur le bleu du ciel, moins dense que celui de l'eau. Elle se mit à contempler Stresa, en face de l'hôtel.

« Grâce et harmonie », se récita Astrid.

La paix majestueuse étalée sous ses yeux l'emplissait d'une obscure nostalgie. Maintenant qu'elle savait son départ proche, elle réalisait combien elle s'était attachée à ce lieu enchanteur tant célébré par les dépliants touristiques. Les îles Borromées dont le nom suffisait à faire rêver les femmes romantiques, conservaient leur magie début de siècle. Il y régnait un climat si doux que les plantes tropicales s'y développaient à l'aise.

Contrairement à ce qu'elle avait décidé,

lorsque le serveur vint s'enquérir de sa commande, elle répondit qu'elle ne voulait rien. Une sourde émotion la tenaillait, proche de l'énervement.

Elle abandonna son siège et, à pas rapides, gagna l'embarcadère. Une assez vieille vedette dont l'acajou se fissurait remuait doucement sur l'eau calme. Personne ne se trouvait à son bord, ce qui la désappointa car elle avait espéré que le pilote viendrait plus tôt que prévu.

Tout en patientant, elle s'intéressa au manège d'un couple de cygnes qui attendait d'elle des largesses. Ils quémandaient avec des airs condescendants qui firent sourire Astrid.

Elle entendit grincer les lattes du ponton et vit arriver un homme dont l'accoutrement pouvait le faire passer pour un marin.

– Vous êtes en avance, *signora* ! grommela-t-il en halant le flanc du bateau contre la plate-forme.

– Peut-être, fit la femme, sautant avec souplesse dans la vedette.

Elle pénétra dans l'habitacle, le traversa de part en part pour prendre place sur le banc de la poupe. Bientôt l'embarcation démarra dans un ronflement de moteur mal réglé.

Elle renversa la tête en arrière afin de mieux profiter de l'air impétueux qui la décoiffait.

Astrid aimait le vent qui cingle et ébouriffe. Il lui revenait des souvenirs de son enfance suédoise. Les matins, pour se rendre à l'école, elle devait emprunter un bateau qui la transportait de l'autre côté du fjord. Cela sentait l'huile chaude, le fer rouillé, la marée.

Comme le canot atteignait le milieu du parcours, le ronron du moteur s'interrompit brusquement. Le silence qui lui succéda parut brutal à la jeune femme. Elle se leva de son siège et s'accouda au toit du rouf afin d'interpeller le pilote.

– Une panne ? demanda-t-elle.

L'homme prit la même position qu'elle. Il avait un étrange sourire.

– A votre avis ? fit-il.

Elle le considéra un moment avant de s'écrier :

– C'est toi, Kurt ?

Cette fois, il demanda :

– A TON avis ? mettant l'accent sur le tutoiement.

Puis ils s'élancèrent à la rencontre l'un de l'autre, courbés pour ne pas se cogner la tête, et s'étreignirent farouchement.

La vedette incontrôlée dérivait en amorçant des cercles qui s'interrompaient au gré d'un remous provoqué par une autre embarcation.

– Tu as encore envie de moi, malgré ma nouvelle tête ? questionna Astrid.

– Jamais je ne t'ai trouvée plus excitante !

Enlacés, marchant de profil, ils gagnèrent l'avant du bateau. L'eau clapotait contre ses flancs et, par instants, il se mettait à tanguer fortement. Kurt lança le moteur et le vieux Riva reprit bientôt son cap.

– Et moi ? demanda-t-il en se tournant vers elle. Pas trop endommagé ?

Elle le considéra avec une minutieuse attention, consignant mentalement les modifications qui s'étaient effectuées sur ce visage d'homme. C'était « ni tout à fait le même, ni tout à fait un autre ». Kurt était devenu une sorte de « frère » inconnu d'elle qui lui rappelait avec force celui qu'elle aimait. Quelqu'un de fascinant.

Astrid posa ses doigts sur la figure du pilote, ferma les yeux et procéda à une espèce d'identification tactile.

– C'est bien toi, fit-elle en coulant sa main jusqu'au sexe de Vogel.

Le moteur tournait tant bien que mal, laissant derrière eux un nuage d'huile gris foncé.

– Quand partirons-nous ? chuchota-t-elle en caressant son membre à travers le jean blanc.

Il redevint grave et oublia son désir.

– Dans huit jours très exactement, répondit-il. Nous nous retrouverons à Genève : hôtel *Intercontinental*. Nous aurons deux chambres distinctes, nous ne nous connaîtrons pas. Nous prendrons le lendemain l'avion pour l'Amérique du Sud et voyagerons séparément. Je descendrai à Montevideo. Toi, tu poursuivras le vol jusqu'à Buenos Aires d'où tu gagneras Salto, deux jours plus tard, en empruntant plusieurs lignes secondaires.

– Ne penses-tu pas ces précautions exagérées ? murmura-t-elle, déçue par ce programme qui allait, une fois de plus, les séparer.

L'expression du pilote changea, une aigre irritation brouilla son regard :

– Aucune précaution n'est exagérée lorsqu'on est, comme nous, activement recherchés par les polices des plus grands pays de la planète !

Elle s'empressa d'acquiescer :

– Tu as raison, Kurt, mais j'ai tellement besoin de toi. Ce changement de vie radical m'effraie.

Il sourit :

– Peur ! « L'hyène blonde » !

Elle détestait cette appellation que lui avait donnée les magazines à sensation.

– Je t'en prie !

Il baissa le régime du moteur et passa son bras sur l'épaule de sa compagne.

– Nous sommes allés tellement loin qu'il

n'existe plus que deux solutions pour ne pas être abattus dans une rue sombre par un agent d'un quelconque service : nous supprimer ou faire peau neuve. Conviens que la seconde est plus difficile à réussir !

– C'est vrai, admit-elle ; je ferai ce qu'il faudra.

– Quand nous nous serons dilués dans l'univers, qu'on ne parlera plus de nous, nous perdrons peu à peu de l'importance pour la meute internationale qui nous course. Alors, insensiblement, nous reconstituerons une vie normalisée dans ce bout du monde où nous n'intéresserons personne.

– Tu le crois vraiment ?

– Aurais-je mis au point tout ce cirque si je ne l'espérais pas, Astrid ?

Ils s'embrassèrent brièvement. Ensuite elle appuya sa joue contre l'épaule de l'homme. La rive de Stresa devenait à chaque tour d'hélice plus présente. Le lac étincelait au soleil et se constellait d'écailles dont le perpétuel frissonnement finissait par blesser la vue. Ils percevaient de la musique, en provenance d'un palace. Une musique langoureuse de jadis, musique de paquebot évoquant quelque soirée « habillée » sur le pont supérieur.

Elle réfléchissait, tout en respirant l'odeur de son amant : elle, du moins, n'avait pas changé.

– Tu es certain que l'identité de ta mère ne posera pas de problèmes ?

– Impossible. Elle n'était pas ma véritable mère et, depuis vint-cinq ans, je n'avais avec elle que des contacts téléphoniques très espacés.

– Suppose qu'on retrouve son corps, un jour ?

– On ne le retrouvera pas !

– Où est-il ?

Son expression dure réapparut.

– Depuis quand des gens de notre espèce font-ils ce genre de confidences ?

Elle éprouva une cuisante tristesse en songeant qu'il s'était beaucoup transformé au cours de leur séparation, et pas seulement physiquement. Elle le jugeait plus méfiant qu'auparavant, plus « aiguisé » aussi. Il faisait penser à ces poignards que les bandits du Sud frottent d'ail pour que leurs blessures ne se cicatrisent pas.

– Si je comprends bien, tu ne descendras pas à terre avec moi ?

– Tu sais bien que ce serait de la folie, mon amour ! Nous ne nous arracherons à notre existence précédente qu'en usant de la plus grande prudence.

Elle était morose, mais résignée. Comme la côte se précisait de plus en plus, elle supplia :

– Non. Ralentis, Kurt, ralentis, je t'en supplie.

Il obéit, vaguement irrité par cette exigence. Jamais il ne s'était senti pareillement maître de soi-même, fort de la farouche volonté qui l'animait.

– Eh bien ? fit-il en la voyant sortir de son sac un quart de champagne.

– Tu ne te rappelles pas ? demanda-t-elle d'un air piteux.

– Si, bien sûr.

Chaque fois qu'ils s'attaquaient à une importante « réalisation », ils buvaient une petite bouteille de Mumm à même le goulot. Cette pratique relevait de la communion.

Il fut attendri et décapita le flacon, le lui présenta :

– Commence !

Elle but, mal ; le liquide d'or coula en partie le long de son cou pour se perdre dans son corsage.

– A toi ! Je ne sais plus boire proprement depuis « qu'ils » m'ont trafiqué les lèvres.

Vogel n'eut pas ce problème et vida la bouteille en quelques coups de glotte puissants.

Ensuite, il lança le flacon vide dans le lac et réduisit à l'extrême le ralenti. Il tenait à peine le volant de sa main gauche, gardant la droite posée sur le cou tiède de son amie. Il était heureux. Il racontait le futur. Elle écoutait d'un air recueilli, ne l'interrompant parfois que pour lui poser quelques rapides questions.

Il la débarqua sur un ponton privé, à l'écart de la ville.

– Tu prendras une vedette-taxi pour rentrer, lui dit Kurt.

C'était presque un ordre. Il l'aida à descendre, baisa le creux de sa main et murmura :

– Je t'aime.

Il ne s'aperçut pas qu'elle pleurait.

Avant d'écarter le canot de son accotement, il déclara :

– En arrivant à l'*Intercontinental* de Genève, tu trouveras une enveloppe contenant tes nouveaux papiers, ton « curriculum » et tout ce que tu devras savoir de ta vie antérieure. Il y aura également un produit peu ragoûtant simulant les plaques rouges et les squames du psoriasis. Ta coquetterie va en souffrir, mais le salut n'a pas de prix.

– J'ai déjà commencé de payer, fit-elle, mélancolique ; ce n'est pas gai de vieillir tellement en quelques jours !

Il appuya sur la manette des gaz.

JUILLET

C'était son premier déplacement avec sa figure refaite. Voyager ainsi lui causait une désagréable impression. Il lui semblait que les gens la regardaient d'un air surpris ; loin de se sentir à l'abri de son nouveau visage, elle croyait qu'il attirait l'attention. Mais il s'agissait là d'une réaction normale, et Astrid savait parfaitement qu'elle se leurrait, en réalité personne ne prenait garde à la femme âgée qu'elle paraissait.

S'être aussi durement vieillie portait atteinte à son moral. Bien qu'elle n'eût jamais cédé à la coquetterie (ses occupations ne l'y incitaient guère), elle trouvait dommage d'avoir accompli un acte si contraire à la féminité. Elle essayait de se consoler, songeant qu'un jour, peut-être proche, elle pourrait faire marche arrière et confier à un maître de la chirurgie esthétique cette pauvre tête malmenée afin qu'il lui rendît un peu de jeunesse.

Elle parvint à Genève au tout début de l'après-midi, au volant de la BMW de location. Effectivement, sa chambre était retenue, par contre elle fut étonnée de ne pas trouver l'enveloppe contenant les différentes pièces annoncées par Kurt. En attendant les nouvelles qu'elle espérait, elle sortit de ses valises sa chemise de nuit ainsi que les vêtements qu'elle comptait mettre le lendemain pour partir.

Comme elle achevait de prendre ces dispositions, on toqua à sa porte. Elle ouvrit à un chasseur qui lui apportait une missive. Astrid reconnut immédiatement l'écriture large et plate de son amant. Elle était d'une saisissante régularité, à croire qu'il s'agissait de caractères d'imprimerie :

Prends ta voiture et viens me rejoindre immédiatement à Evian. Je t'attendrai devant le Casino.

En guise de signature il avait tracé un trèfle à quatre feuilles sous ce bref texte. D'après leurs conventions, ce signe signifiait : « A brûler impérativement après lecture ».

Ce qu'elle fit avec un automatisme rigoureux.

Quand elle atteignit Evian moins d'une heure après, son inquiétude était au paroxysme. Mais lorsqu'elle l'aperçut, assis sur un banc, au soleil, strict dans un blazer noir à boutons dorés, elle fut rassérénée. Il lui souriait. Elle le trouva beau. Pour lui, l'épisode chirurgical s'était bien passé et l'avait rajeuni. Il ressemblait à un comédien britannique.

Il quitta son siège et, d'une allure désinvolte, gagna la voiture.

Kurt prit place, côté passager.

– Roule ! dit-il.

– Tu es à pied ?

– *Si, señora.*

– On ne part plus pour l'Uruguay ?

– Quelle idée ! Plus que jamais.

– Alors ?

– Je vais t'expliquer, roule !

Fin du flash-back

CAPITULO VEINTIOCHO

Le lieu est aussi marrant qu'un dispensaire centrafricain pendant une épidémie de choléra baveux. Les murs ne sont même pas blanchis à la chaux, les briques crues, porteuses de cicatrices graves, gardent à la construction l'air désolé d'un chantier abandonné bien avant son achèvement. La pièce comporte deux fenêtres aux carreaux brisés. Il n'y a pas de lumière, et seul le jour mourant met quelque clarté agonisante en ce local désespérant.

J'essaie de me rappeler l'endroit où je gis, n'en trouve pas la moindre trace dans ma mémoire. Tout ce dont je me souviens, c'est d'une Jeep stoppée au sommet d'une butte. Je m'y « sens encore ». Une femme à mon côté, dont j'ai quelque mal à retrouver le nom. Nous parlons... Elle caresse ma cuisse : pas ma bistougne, parole ! VRAIMENT ma jambe. SEULEMENT ma jambe ! On causait...

On parlait de gens vénéneux... De ces êtres

comme l'homme de la rue, l'homme de la vie courante ne peut imaginer qu'il en existe. Et voilà qu'en devisant, je me sens diguediguer gentiment. Un suave anéantissement, un peu comme lorsque tu te biches un pied magique. Ta partenaire a fait une apnée mirifique because elle pâmait dans les excès. Ta pomme, la conscience peinarde, tu te laisses glisser dans le velours. Tu déflaques en toute langueur ; mister chibroque floconne dans un abandon supraterrestre. C'est mieux qu'un fade géant, c'est du paradis de contrebande !

Bref : c'est de l'évanouissement pur et simple. Surtout pur. Trop de raisin versé en loucedé, probable, mon grimpant servant de gouttière. *Nothing* de plus traîtrasse que l'hémorragie. Tu te casses de toi-même sans prendre garde. Te barres de l'existence tel un collégien du pensionnat, en tenant tes grolles à la main.

Je m'investigue. Constate qu'on m'a retiré mon bénoche et fait un pansement. Dans tous les bouquins du genre, les romanciers (également du genre) appellent ledit : « de fortune », t'auras remarqué ? Et si t'as pas remarqué, c'est que t'es bel et bien aussi glandu que les gens le prétendent !

Où suis-je-t-il ?

Bientôt la réponse. J'entends survìendre une bagnole. Claquement de portière (au singulier). Bruits de pas... Une femme blonde que je reconnais. C'est avec elle que je discutais au moment de couler à pic dans le jus de betteraves. Mais je sais qu'elle n'est pas blonde, elle a les cheveux décolorés sous la perruque de naguère. Évidemment, il s'agit de la superbe Maria del Carmen. Très affairée. Paquets pharmaceutiques. *Very* beaucoup ! Les défait avec promptitude et autorité. S'active. Je mets mes falots en code. Laisse flotter au vent léger la bannière de mon indifférence.

– Ne t'agite pas, chéri, qu'elle murmure. Il ne faut pas arracher ton goutte-à-goutte.

Ô nuit ! Qu'il est profond ton silence. Une loupiote de poche éclaire mal les lieux.

– Tu as été infirmière ?

– Pas vraiment, mais j'ai soigné ma mère malade pendant des années, si bien que je me débrouille. Comment te sens-tu ?

– J'ai l'impression d'avoir fait la grasse matinée.

– Tu as été entre « chien et loup » pendant une dizaine d'heures ; j'ai failli te conduire à l'hôpital. Ce qui m'a retenue, c'est la perspective des conséquences que ça entraînerait.

– Tu as des nouvelles de « Fort Alamo » ?

– Aucune. Il faudra voir les journaux demain matin. En tout cas, la radio de la voiture ne parle de rien.

– Les protagonistes de l'opération ont intérêt à ne pas faire de vagues.

Pour changer de sujet, je demande :

– Quand penses-tu retrouver ta véritable couleur de cheveux, ma jolie ? Elle doit toujours être à l'unisson de la toison pubienne, sinon cela crée un sentiment de frustration chez l'homme.

Un temps. Elle ne sourit plus. Ses yeux sont baignés de tu sais quoi ? Oui : larmes, tu as gagné !

Je cueille sa main qui traînassait sur le lit.

– Naguère, fais-je en grand amateur d'adverbes que j'ai toujours été, nous avons beaucoup parlé ; une partie de notre intéressante conversation s'est quelque peu diluée dans ma mémoire, aussi me permettrai-je de la récapituler tant mal que bien.

Me voyant promener ma langue fourbue sur mes lèvres rêches, elle va chercher une bouteille de vin parmi ses provisions et m'en sert dans un gobelet de carton. Pinard un tantisoit violacé, qui mousse quand on le transvase, et sent la vendange, ce dont j'adore, dirait Sancho-Bibendum-Pança.

– Où sommes-nous ?

– Dans une bicoque en ruine appartenant à un oncle de mon mari.

Je rêvasse un peu, manière de ranger mes idées par paquets de dix.

A la fin, je laisse échapper :

– C'est curieux, cela fait deux fois, coup sur coup, que je suis blessé pendant une affaire. Au cours de la précédente [1], plus gravement. A force de jouer les invincibles, on finit par durement s'ébrécher. Mais c'est sans importance, à chaque année qui s'ajoute, j'ai gagné en fatalisme. Me soumets à Dieu ou aux planètes. La loi de la gravitation, la seule à laquelle on est forcé d'obéir ; regimber serait pure dépense d'énergie.

Elle n'a pas relevé ma réflexion. Il semble que je la fascine. Pourtant, il y a moins que pas longtemps, ne se trouvait-elle pas au côté d'un vilain qui rêvait de me transformer en engrais azoté ? Comme quoi faut s'attendre à tout, avec les gerces, et au pire plus qu'au reste.

– Si mes souvenirs ne sont pas trop boiteux, tu m'as dit, avant ma syncope, que vous aviez participé, en juin de l'an passé, à un congrès des polices qui se tenait à Stresa, en

1. *Le Pétomane ne répond plus.*

Italie. Vous logiez dans un palace des îles Borromées.

– C'était enchanteur !

– Là-bas, vous avez fait la connaissance d'une femme d'un certain âge qui prétendait connaître ton mari ?

– C'est cela même.

– Lui, par contre, ne se la rappelait pas. Mais elle a sorti des arguments qui ont paru le convaincre.

– Elle a alors annoncé que le terroriste *number one,* que nous connaissons sous l'identité de Kurt Vogel, allait se retirer en Uruguay avec un magot phénoménal. Elle savait déjà sa future adresse et l'a communiquée à Ramirez. Elle lui a demandé de liquider Vogel, en échange de quoi il percevrait une part du gâteau. Pour lui prouver qu'elle ne bluffait pas, elle a remis à mon époux cent mille dollars, ou plutôt des moitiés de billets représentant cette somme, étant convenu qu'il toucherait l'autre partie des banknotes après l'exécution.

Je souris.

– Je ne veux pas porter atteinte à la mémoire de ton bonhomme, ma chérie, mais pour un policier, il traitait des opérations un peu glauques.

Maria del Carmen hoche sa jolie tête, qui

sera bien plus belle encore lorsqu'elle l'aura désaffublée de sa stupide teinture blonde. Je pense que ses années de mariage avec un forban tel que Ramirez (trois fois) ont quelque peu décapé sa couche d'honnêteté originelle. Quand elle a épousé ce grand flambard, elle était une jeune fille innocente. Ce sagouin l'a transformée.

La vie est si gueuse, comme je le dis souvent, contaminante et vérolée.

Je reprends les rênes de mes pensées divagantes kif celles d'un quadrige.

Si j'analyse, la femme rencontrée à Stresa était une complice de Vogel, mais qui le trahissait. Et dans quelle intention ? Celle, *of course,* de s'approprier l'énorme blé que ce fumelard a amassé au cours de sa carrière de prédateur de haut niveau. Pour cela que fait-elle ? Profitant d'une occase inespérée, elle commandite PLUSIEURS MOIS À L'AVANCE L'ASSASSINAT du type. Le contraire de *Mort à crédit,* en somme ! Elle paie son élimination par anticipation.

Bien joué, la mère !

Nouvelle rêverie du penseur solitaire qu'*I am.* Je phosphore que c'en est une bénédiction, dirait la vaillante Line Renaud, la lancière du Bengale des nobles croisades télévisées. Je vois, je renouche, je mate, je bigle, j'entrave. Il existe des instants de grande lumière intérieure, où les embrouilles les plus méandreuses te semblent devenues limpides.

Je mentalise l'affaire. La passe au tamis de ma clairvoyance.

Supposons que l'ami Kurt ait une complice, ou une maîtresse, en compagnie de laquelle il projette de refaire sa vie en Uruguay ? Ils ont placardé leur copieux magot dans ce paisible pays. Mais ce sont des gens traqués par tous les roussins de la planète et de ses satellites. Pour commencer, ils s'établiront séparément : lui dans la capitale, elle dans une ville d'eaux du nord où elle en profitera pour soigner un psoriasis tenace. Afin de garantir sa sécurité, elle prendra l'identité d'une autre. Il lui suffira de se vieillir, de se « transformer », jeu dans lequel doit exceller une aventurière grand format. Tout est prêt. Les dents lui ont poussé, elle a découvert le parti à tirer de la situation : shooter dé-fi-ni-ti-ve-ment son mec pour rester l'unique détentrice du pactole. Dans le fond, c'est très simple, logique !

Je jubile. Bravo, Sana : t'as tout pigé. Par contre, t'as été joué de première. Du grand art ! Je me remémore la vieille égroteuse de l'établissement de cure. La mère-la-déglingue à la frime daubée. Qui n'aurait-elle pas possédé ? Dieu que c'est grisant d'avoir affaire à des amazones d'un tel niveau !

Et puis, bon, je renoue avec notre converse, Maria del Carmen et moi.

– Bien. Ton fripon d'époux, jugeant le moment rêvé, ordonne l'équarrissage de Vogel pour pouvoir nous foutre son assassinat sur le paletot. La chose s'accomplit. A-t-il eu, ensuite, un contact avec la femme aux cent mille dollars ? Le moment était venu de toucher l'autre moitié des coupures déchirées.

– Non, fait-elle, puisqu'il est mort (là elle ne tique pas, parle du décès de son vieux comme s'il était clamsé d'une péritonite aiguë) très rapidement après Vogel.

– Tu as quitté le vol de Paris à la première escale pour revenir à Montevideo ; tu as agi ainsi à cause de ce fric dont vous attendiez l'arrivée ?

– Exact.

– Tu as partie liée avec Medialunas ?

– Je lui ai demandé de m'aider ; sans mon mari, je ne me sentais pas de taille...

– Vous connaissiez l'existence de la femme en cure, tous les deux ?

– Non. C'est vous qui nous avez conduits à elle.

– Vous l'avez questionnée ?

– L'inspecteur-chef voulait t'entendre avant de « s'occuper » d'elle.

– Si bien qu'elle se trouve encore dans son institut ?

– Je l'espère.

Mon goutte-à-goutte revigorant agit, sans bruit. C'est plutôt fascinant à observer, ce manège de la larme qui perle et tombe en produisant une minuscule auréole dans la poche de plastique.

Et toujours cet afflux de pensées qui se bousculent au portillon de ma gamberge.

– Le matin de mon arrivée, il y avait un grand papier sur Vogel dans *El Dia* ; qui l'avait fait publier ?

– Mon époux.

– Pourquoi ?

– Pour « préparer » les autorités à ce qui allait se passer.

– Explique.

– En signalant la présence du terroriste sur notre sol, il se « couvrait » par avance, car il ne savait pas comment il le neutraliserait. Et puis ta venue soudaine lui a apporté la solution.

– Cela risquait de mettre le type en fuite.

– Non, parce qu'il le tenait à l'œil et il aurait tout précipité si l'autre avait eu des velléités de départ accéléré.

Une chose encore me tarabate l'intérieur de la boîte crâneuse (Béru dixit) : que faisait mon portrait de play-boy dans la penderie de Vogel ?

Cette question (en anglais : *this question*), ce n'est pas la belle friponne qui peut y répondre. Je la repousse à une date intra-utérine.

– Sois gentille, petite brigande, débranche ta jouvence : elle n'est pas suffisamment alcoolisée pour moi.

– Non ! Tu es trop faible, proteste ma camarade d'équipée.

Je biche sa dextre et la porte jusqu'à une éminence qui s'est constituée là où pantelle ton misérable brise-jet de déglandé.

– T'appelles ça de la faiblesse, môme ?

Elle cesse d'ergoter, pousse le civisme jusqu'à ôter sa culotte après avoir retiré l'aiguille de ma veine.

On change de transfusion.

La vie commande, que veux-tu, mon Lulu.

CAPITULO VEINTINUEVE

Le même salon un tantinet fané. Des plantes en pots, moins belles que celles qui exubèrent au-dehors. Pourquoi, sous toutes les latitudes, longitudes et cieux, dès que des gens sont rassemblés pour recevoir quelque chose qui ressemble à des soins, l'ambiance est-elle locdue et cafardesque ? Certes, on commence à trouver des cliniques privées vachement heurff, il y règne cependant une confuse mélancolie. C'est donc que tout ce qui s'apparente, de près ou de loin, à un traitement, engendre une morbidité incontournable ?

Ici, les patients ne sont pas fatalement vioques. Il en est même des jeunes. Le psoriasis, tu peux pas savoir si t'en as pas, l'à quel point c'est véroleur. La gaufrette aux coudes, aux couilles, au dargif, sur la frime, c'est un des chiendents de l'homme.

La petite médème assassine attend, assise

près de moi, sur un canapé tellement crade et défonçaga que je pourrais pas y tirer Claudia Schiffer même si elle m'extrapolait les roustons avec ses cils.

– Je suis impressionnée, murmure ma fraîche-baisée.

Reconnaissons qu'il y a de quoi.

La double porte chiale un peu des gonds en s'ouvrant et la vieille-dame-pas-ragoûtante-qui-m'a-naguère-reçu paraît. Sombre et furtive, la frite daubée par sa chiasse de maladie. Depuis l'entrée, elle me dédie un sourire dépavé et dandine jusqu'à nous. Toujours gentille.

– Il me semble vous reconnaître, déclare-t-elle avec cette légitime fierté des gens très âgés qui reviennent des cagoinsses sans s'être bédolés dans les brailles.

Je la contemple, puis mate la Maria del Carmen dont la perplexité n'a d'égale que la mienne. Me risque jusqu'à mémère pour le sauvage examen du douanier prévenu par un coup de grelot signé « anonyme » qu'un passeur de diams va se pointer à son poste frontière avec le « Régent » dans le fion.

J'étudie les rides de la dame, sa desquamation, son édenture avancée (il lui manque tous les tabourets du fond), son regard clair comme l'eau d'un bidet (après qu'il ait fait perdre la mise), les coins crémeux de sa bouche, ses tifs rêches, son haleine fouettant le fond de poulailler, son menton genre casse-noisettes ouvragé de l'Oberland bernois, ses cannes maigrichonnes aux bas bandéonesques, ses pinceaux déformés par les rhumatismes, la stalactite glauque qui tremble à son bout de pif, oui, je visionne un à un chacun des éléments et j'en arrive à la certitude absolue que cet être n'est pas, ne PEUT PAS ÊTRE une femme encore jeune transformée en vieillasse, mais qu'elle est réellement et violemment âgée, croulante, nazebroque.

Je me penche à l'oreille de ma jolie compagne de bouillave.

– Je vais m'absenter cinq minutes, fais-lui la conversation, soufflé-je-t-il.

J'argue galamment d'une nécessité de nature et les laisse en tête à tête.

La *señora* Bezalez Flora, 42 ans, un mètre cinquante-trois, soixante-dix-huit kilogrammes (sans ses hardes, mais avec tous ses poils), exerçant les délicates fonctions de balayeuse assermentée, m'indique la chambre de la vioque. Elle se trouve en retrait et je gage, comme on dit puis chez les ancillaires, qu'il s'agit là d'un apparte de luxe. Nous sommes en *first* classe : un salon, une chambre de belles dimensions, une salle de bains pourvue d'un matériel d'assistance aux vieillards : rampes de traction pour s'arracher de la baignoire et des tartisses, sol antidérapant, et la sauce. Ces éléments me confirment dans ma certitude d'avoir affaire à une véritable mémé homologuée.

Je me mets à fouinasser dans ce logement. Sobrement, efficacement. Tu ne passes pas quatre lustres (et autant d'appliques) dans mon job sans acquérir une dextérité, un sixième sens, un pouvoir déductif poussés à l'extrême. Ou alors c'est que t'es bon à nib et tu peux aller te faire idolâtrer chez les Grecs !

Je me déplace pas à pas, visionnant tout avec plus que de la circonspection. Mon cerveau qui tient la grande forme fait la pige à une pile atomique. Je crépite de la coiffe. Tu veux parier que des étincelles me jaillissent des naseaux, Marceau ?

J'avais annoncé une absence de cinq minutes ? En réalité celle-ci se prolonge plus d'une demi-heure. Je ne me casse pas trop la hure, car deux femmes, même étrangères l'une à l'autre, même n'ayant rien à se dire, savent admirablement meubler les temps morts.

Mon retour effectué, je hâte la séparation, souhaite meilleure santé à la mamie, l'assure que son eczéma est en bonne voie (je pense

« d'épanouissement », elle comprend « de guérison »), et nous nous emportons comme un couple sachant ce qu'il a à espérer de ses sens et de son système glandulaire.

La vie est décidément convenable pour les hommes qui, à mon instar (dirait un autre con de plume), savent la caresser dans le sens du poil.

EPILOGO

Sa maisonnette de Haute-Savoie, à la mère adoptive de feu Kurt Vogel, est modeste, vaguement délabrée sur les bords, mais conserve une *good* apparence. Le genre de crèche que les Genevois aiment acquérir sur « France voisine », comme ils disent, et rebecter de leurs mains, les week-ends, pour, ensuite, s'y faire des « petites broches dominicales ».

Elle se situe au bout d'un village sentant l'ortie et le noisetier, dans une sorte de minuscule vallon champêtre, bien à l'abri des curieux.

Une tonnelle « drapée » de vigne dont le raisin, déjà doré, pend comme autant de paires de couilles, nous accueille, Béru, Pinaud et moi.

A nous voir, on pourrait nous considérer comme quelques citadins prenant possession d'une cabane de vacances. Sa Majesté s'est muni de boissons fermentées et de saucisson de Toulouse, envoyés par notre cher D.D. Sarda, grand maître de l'Ordre de la Grosse Veine Bleue.

La paix, l'harmonie, la détente paraissent régner. Et cependant, ce n'est pas pour festoyer que nous sommes là. Des coup sourds (comme disent ceux qui ne le sont pas), retentissent, en provenance du jardin en friche. Deux terrassiers de fort gabarit fouillent la terre nourricière. Il s'agit des fossoyeurs de Gland-Rubescent dont j'ai loué les services pour la circonstance. Le brigadier Calvinguet, de la gendarmerie d'Évian, surveille leurs travaux.

– Il est duret, non? murmure César, aux prises avec un sauciflard sec et poivré, par ailleurs délectable.

– T'as qu'à ôter ton râtelier et le sucer, ironise Alexandre-Benoît.

– Qu'as-tu fait de ta belle Pamela? lui demandé-je.

– Elle espérait m'accompagnasser, mais j' veux pas mélanger l' cul aux affaires.

– C'est toujours le grand amour?

– D' son côté, moui : l'est folle d' mon chibre et n' peut plus s'en passer.

– Et du tien?

– Oh! moive, j' sus comm' l' papillon

su' un' fleur, pouvu qu' j' lime, qu' ça soye un' Anglaise ou un' Papouase...

« A propos, grand, t' sais c' qu'é m'a avoué, ce morninge, tandis qu' j' me briquais l' polar av'c sa p'tite culotte après l'avoir calcée ? »

– Dis !

– Ta photo, dans la crèche de Vogel, à Montévidélo...

– Eh bien ?

– C'est elle qui l'avait épinglée.

Je bondis.

– Les Britiches connaissaient la retraite de notre homme ?

– A preuve.

– Et ils me bassinaient la prostate pour que je les aide à le retrouver !

– T' sais encore pas combien ces mecs sont traites, grand ?

– Pourquoi ont-ils agi ainsi avec mon portrait ?

– Pour qu' not' lascar, qui t' connaissait, biche les foies et se crapahute !

– Je vois mal l'intérêt.

– Paraîtrait, d'après s'lon Papa...

– Quel papa ?

– Ben, Pamela. paraîtrait qu' c' tordu d' Vogel a sucré un' fortune colossable. C'est ça qu' guignent les Rosbifs. Leur raisonnage était la suivante : « Si qu' le terrorisse s'est fixé en Nuruguay, c'est qu'il y a placardé son osier. S'lon leur plan, y suffisesait d' l'avoir à l'œil et d' pas paumer ses fesses et gestes. Ah ! y craignait rien, c' grand con, av'c l'armada d'anges gardiens qui lu collaient au fion ! Sachant sa planque découvert, et que n'en plus, des gusmanes y entraient kif dans un moulin, lu fallait r'partir d' zéro. Pour ça, ramasser ses pions. Ce dont qui m'intrigue, c'est qu' les Services secrètes rosbifs s'intéressassent au grisbi ; c'est pas t'llement leur tasse d' beaujolpif, ces nœuds !

J'acquiesce pour dire de marquer une réac. Mais j'amertume. Dans cette corrida saugrenue, il n'a servi que d'épouvantail, ton ami Sana, ma poule chérie. N'empêche que c'est lui qui a débroussaillé l'historiette et, surtout, gagné le caneton !

Comme nous achevons le sauciflard, le brigadier Calvinguet surgit au coin de la maisonnette.

– Du nouveau, monsieur le directeur ! m'annonce-t-il.

Me croiras-tu si je te dis que mon guignol s'offre un triple saut périlleux arrière ?

Je SAVAIS ; il ne pouvait pas en être autrement.

– Vous venez d'exhumer un cadavre de femme, n'est-ce pas ?

– Exactement. Il est... je ne voudrais pas couper l'appétit à ces messieurs, mais disons que ça n'est pas beau du tout. Je dois prévenir le médecin légiste, naturellement ?

– Ça va de soi ! On peut encore supputer sur l'âge de la femme ?

– Vous savez, je l'ai regardée le moins possible, monsieur le directeur. Disons la cinquantaine. Peut-être un peu plus, peut-être un peu moins.

Il ajoute :

– Les fossoyeurs ont dû y aller à « l'huile de coude » et ont bien failli ne rien trouver : le corps reposait à plus de trois mètres de profondeur ; juste au moment d'arrêter, ils ont mis à jour une chaussure...

Je m'arrache du banc où je profitais d'un soleil savoyard tamisé par les feuilles de la tonnelle.

– Je viens, brigadier.

Ah ! notre job n'est pas toujours rose.

Il lui arrive même de prendre des teintes verdâtres !

Nous voyageons dans la Rolls de la Pine. C'est moi qui la conduis car il n'a plus de chauffeur depuis que la mère Pinuche s'est mise en tête de le violer. Sur le tard, elle s'en ressent, la douairière. Faut voir comme elle effeuille les braguettes, mémère ! Les livreurs, ses masseurs et profs de gym, le gardien de leur immeuble, un beau Portugais basané. Elle suce tout ce qui passe à sa portée. Le démon de la soixantaine ! Dès qu'elle sent une anguille à moustaches dans son espace bital, faut qu'elle l'engouffre.

Le César pinulcien roupille à l'arrière, le bras passé dans un accoudoir. Le Gravos est à mon côté. N'a pas sommeil, malgré les boutanches englouties.

Je le sens profondément marqué par notre équipée sud-américaine.

– En somme, résume-t-il, c'était l'histoire de deux grands criminels dont l'union a fait la force, mais qui ne s'aimant plus se sont mutuellement neutralisés.

Le châtié de sa phrase me laisse baba.

– C'est pas de toi, ce discours, noté-je.

– Non : d' la Vieillasse. J' l'aye trouvé bioutifoule et appris par cœur.

J'enchaîne :

– Depuis lulure ils avaient préparé leur retraite dans cet aimable pays de l'hémisphère Sud. Seulement, quand le moment de s'y rendre est venu, chacun a décidé de se débarrasser de son partenaire. La femme en livrant son complice pour qu'on le liquide, l'homme en assassinant sa maîtresse. Il a préféré emmener sa vieille maman adoptive. Alors il a buté la souris qui ne l'intéressait plus et l'a enfouie dans le jardin de la maison de Haute-Savoie. Coup double : il supprimait une contrainte et accaparait tout le magot. L'ironie du sort a voulu que sa victime se soit vengée par avance. Pas banal, hé ?

– Ça restera dans les anus, prophétise Crétinus Ier.

Il hésite un instant entre deux incongruités (australe et boréale) mais, ne parvenant pas à trancher, se défait de l'une et de l'autre avec vigueur et synchronisme.

Inmécontent d'un tel exploit, plus difficile à réaliser qu'on ne le suppose, il soupire :

– C' qu'aura z'eu d'ecseptionnel dans c' bignz, c'est qu' tout l' monde l'a dans l' fion : les Rugoyens, les Rosbifs et nous aut' Françouzes, et j' cause pas, œuf corse, du coup' des terrorisses. Même la pauv' mémé qui s' retrouv' au fin fond des Amériques, sans appuye, et p't'êt sans fric.

– T'en fais pas pour la darone, son grand garçon lui a laissé un beau pactole.

– T'es sûr ?

– J'ai trouvé des fafs de banque dans sa turne : elle a de quoi s'acheter Versailles et le Grand Trianon.

– Ah ! bon. Ça m'aurait fait d' la peine qu'é soye au ruisseau.

Je m'humecte les labiales avant de proférer le plus chouettos :

– Et j'ai déniché, du même coup, ce qui tant a motivé les Rosbifs.

– Nnnnonononon !

– *Si, señor.*

– Ben, cause, bordel !

Alors je ralentis et sors de ma poche un paquet de faf à cul déjà froissé, de couleur bleu azur.

Le tends au rhinocéros des comptoirs.

– Quoi-ce ? balbutie-t-il, soudain intimidé.

– Regarde !

Il déplie le papelard et un diam de la grosseur d'un œuf de poule naine se met à irradier sa pogne dégueulasse.

– Y a d' quoi s' bouffer les roustons ! exclame mon collaborateur. C'est un vrai ?

– Non seulement il est authentique, mais de plus il est célèbre, confirmé-je, puisque c'est une pièce maîtresse des joyaux de la Couronne britannique. Le coup le plus fumant de ces mille dernières années,

Alexandre-Benoît. Personne n'en a entendu parler. Les Anglais ont tu le vol et probablement mis une copie à sa place. Mais tu comprends leur énervement ?

– Charogne !

– N'est-ce pas ?

Il replace le caillou dans son papier et je l'empoche kif il s'agirait d'un caramel au lait.

– Il se trouvait dans l'apparte de mémé, à la maison de cure, commenté-je. Kurt l'avait placé dans une statuette de Lourdes représentant la Vierge miraculeuse sous un globe de verre. Chaque soir, la brave eczémateuse priait devant ce morceau de carbone pur.

– Ça doit vaudre un maxif ?

– I-nes-ti-mable, Gros ; à moins de le détailler, mais quel crime ce serait !

– Et tu comptes en faire quoi-ce ?

– Le placer dans un coffre sûr et attendre une occase de le restituer à la Couronne.

– Quel genre d'occase, plize ?

– Il ne se passera pas longtemps avant que nous ayons besoin de nos amis d'outre-tunnel. Un service en valant un autre...

Ensuite, je me mets à penser à Maria del Carmen, qui est restée « là-bas » pour répondre de la mort de son époux.

Elle a préféré se livrer aux autorités. Légitime défense. Je témoignerai pour elle, je lui dois bien ça. Elle avait l'air d'une amazone, mais dans le fond ce n'était qu'une adorable petite baiseuse.

N'empêche qu'elle suçait drôlement bien.

FIN

Cher lecteur,

Afin de vous aider à vous procurer les Œuvres Complètes de San-Antonio (24 volumes parus), voici la liste des points de vente où vous aurez la certitude de les trouver.

LIBRAIRIES

FLAMMARION Bellecour, 42, Grande-Rue-de-Vaise, 69002 Lyon.
FLAMMARION Italie, 30, avenue d'Italie, 75013 Paris.
FNAC Bellecour, 85, rue de la République, 69002 Lyon.
FNAC Colmar, 1, Grande-Rue, 68000 Colmar.
FNAC Etoile, 26/30, avenue des Ternes, 75017 Paris.
FNAC Forum, rue Pierre-Lescot, 75001 Paris.
FNAC Montparnasse, 136, rue de Rennes, 75006 Paris.
FNAC Montpellier, Centre commercial du Polygone, 34000 Montpellier.
FNAC Nice, 24, avenue Jean-Médecin, 06000 Nice.
FNAC Toulouse, 81, boulevard Carnot, 31071 Toulouse.
FORUM DU LIVRE, rue de l'Arche-Sèche, 44000 Nantes.
FURET DU NORD, 19, rue Gambetta, 62000 Arras.
FURET DU NORD, 15, place du Général-de-Gaulle, 59002 Lille.
GIBERT JEUNE, 4 bis, rue Saint-Sauveur, 75002 Paris.
GRAFFITI, 23, rue du Maréchal-Joffre, 64000 Pau.
HALL DU LIVRE, 38, rue Saint-Dizier, 54001 Nancy.
LA GRANDE LIBRAIRIE, 17, rue Burnol, 03200 Vichy.
LA GRANDE LIBRAIRIE, 54, rue de Paris, 03200 Vichy.
LIBRAIRIE DE L'UNIVERSITÉ, 17, rue de la Liberté, 21000 Dijon.
LIBRAIRIE DE PARIS, 9 à 11, place Clichy, 75017 Paris.
LIBRAIRIE DE PARIS, 6, rue Michel-Rondet, 42000 St-Étienne.
Librairie du CARREFOUR, 16, boulevard Montmartre, 75009 Paris.
Librairie LES PALMIERS, 86, rue Paul-Doumer, 78130 Les Mureaux.
Librairie LODDE Ch., 41, rue Jeanne-d'Arc, 45000 Orléans.
Librairie MOLLAT, 15, rue Vital-Carles, 33080 Bordeaux.
Librairie SAINT JEAN, 54, rue de France, 77000 Melun.
Librairie SAURAMPS, 4 bis, rue Baudin, 34000 Montpellier.
MAISON DE LA PRESSE, 1, place du Général-de Gaulle, 71100 Châlon-sur-Marne.

Maison Presse Salesses, 110, rue de la République, 84200 Carpentras.
Paroles & musique, 22, rue du Mène, 58000 Vannes.
Printemps Haussmann, 45, rue Joubert, 75009 Paris.
Samaritaine, 20, rue de l'Arbre-Sec, 75021 Paris cedex 01.
Virgin megastore, 75, rue St-Ferréol, 13251 Marseille cedex 20.

HYPERMARCHÉS

Auchan, 26, avenue du Général-de-Gaulle, 93170 Bagnolet.
Auchan, La Défense – Centre Cial des 4 temps, 92800 Puteaux.
Auchan, C.C. Porte des Alpes, 69000 Saint-Priest.
Carrefour, R.N. 3, 77410 Claye Souilly.
Carrefour, 21/23, rue Louis-Calmel, 92230 Gennevilliers.
Carrefour, Centre commercial Ulis 2, 91940 Les Ulis.
Carrefour, Boulevard de l'Europe, 31120 Portet-sur-Garonne.
Carrefour, R.N. 7, 77190 Villiers-en-Bière.
Cora, Avenue de l'Europe, 91300 Massy.
Leclerc Espace Culturel, « Méridien » Route de Pau, 65420 Ibos.
Leclerc Espace Culturel, R.N. 1, 95570 Moisselles.
Leclerc Espace Culturel, 14, route de Paris, 44300 Nantes.
Leclerc Espace Culturel, Parvis 3, avenue Louis-Sallenave, 64000 Pau.
Mammouth, Centre Commercial Plein Sud, 63170 Aubière.
Mammouth, Porte de Lyon, 69570 Dardilly.
Super M, 129 bis, avenue de Lodère, 34034 Montpellier.

Cet ouvrage a été réalisé par la
SOCIÉTÉ NOUVELLE FIRMIN-DIDOT
Mesnil-sur-l'Estrée
pour le compte des Éditions FLEUVE NOIR
en janvier 1996

Imprimé en France
Dépôt légal : février 1996
N° d'impression : 33039